WAC BUNKO

不安を煽《あお》りたい人たち

上念 司
篠田英朗

WAC

はじめに

この本は、上念さんとの対談形式をとれなかったら、決して世に出ることはなかった。私は国際政治学者である。時事的な外交問題はともかく、新型コロナに関する話題で本を出すということは、かなり異例な展開だ。上念さんと雑誌『ＷＩＬＬ』の記事のために対談をさせていただいたときの経緯から、ワックさんより本書の企画提示をいただいた。上念さんには、二つ返事でお引き受けいただき、私の問題関心にそったご貢献を提供いただいた。上念さんとの対談はいつも楽しく刺激的なものなので、私自身が本書の作成を楽しんでいくことができた。心より御礼申し上げる。

平和構築という政策領域を専門にしている私は、通常は海外出張の多い生活をしている。今年の三月でもなお、東アフリカへの出張とニューヨークへの出張をこなした。特に後者は、米国政府が欧州からの渡航者の入国を禁止したところから、ニューヨークの街が段階的に閉鎖されていく様子を体験し、ぎりぎりで日本に戻ってくるような旅程での出張であった。低所得者層を中心に甚大な被害を出したニューヨークのその後と、何とか破綻せずに持ちこたえている帰国後の日本の様子を見て、私なりに感じることや、考えたくなることが多かった。そこでブログ記事で、新型コロナに関することを書き始めた。本書でも使っている「日本モデル」という概念を用い始めたのは、その頃だ。

日本の新型コロナへの取り組みの特徴は何なのか、私は知りたかった。調べていくうちに、押谷仁《おしたにひとし》教授を中心とする専門家グループの的確な医学的知識と深い公衆衛生政策に関する洞察に、強い印象を受けるようになった。特に後者の社会政策に関する部分については、社会科学者ももっと関心を持つべきではないか、と思うようになった。その後、ブログ記事では五十本以上、その他『現代ビジネス』などの一般向けの媒体でも何本か書いていくことになった。四月以降の緊急事態宣言の時期には、『西浦モデルの検証』というシリーズを、十三回書いた。七月以降の感染拡大の局面では、『日本モデルVS西浦モデル2・0』というシリーズ名称で八本書いた。その他、いくつかのこだわった視点があったが、その記録はインターネットフォーラムの『アゴラ』にすべて記録されている。

本書の前半部分の内容は、これらの記事の執筆を通じて思ったことを、あらためて上念さんとの対談で吐露したものだ。一つの流れをもたせるために、日本社会に巣くう党派的事情による無責任な「煽り系」言説への強い疑問を提示した。結果として何人かの方々を失礼な形で紹介している箇所があり、大変に恐縮である。

「煽り系」言論人やメディアの問題は、根っこのところで憲法問題など他の問題にも結びついている。最近になって話題を集めた日本学術会議の問題ですら、背景には同じ問題があると言ってよい。対談形式で、自然にそれらの話題も拾っていくことにした。

上念さんは、私の憲法に関する著作を読んで、様々な媒体で積極的に紹介してくださった方だ。そのご縁で、上念さんが運営しているネット動画番組に出演させていただいたこともある。大変に明るく、活舌滑らかな才能あふれる方だ。今後とも楽しく一緒に仕事をしていければ幸いである。

日本学術会議問題では、大学人の傲慢な姿勢が、社会的に受け入れられないことが、明らかになった。私にとって強く思いを新たにしたのは、大学に籍を置く者として、大切にしなければならない「学問の自由」という憲法理念だ。

この憲法原則を、あたかも大学にいる者の特権であるかのように見なして、大学人が濫用するならば、大きな痛手を受けるのは憲法に対する社会的信頼性である。

学問の自由は、すべての国民に保障された基本的人権の一つだ。確かに、学問の自由の砦となるために、大学は制度的な保障を受ける。しかしそれは、自分たちの既得権益を守れと大学人に自由自在に主張させるためではない。大学はすべての国民に開かれて、学問の自由を守るための制度として社会にその価値を認めてもらわなければならない。大学に籍を置く者は、その番人として、制度的な役割を認めてもらっているだけだ。

上念さんのように大学外で優れた学術活動を行っている方と一緒に仕事をすると、この基本的人権としての学問の自由の大切さを、あらためて痛切に感じることができる。新鮮な気持ちで、自分の本業の仕事に戻っていくことができる。

そんなふうに、すがすがしい気持ちにさせてくれた上念さんに、あらためてお礼を申し上げる。あわせて編集にご尽力いただいたワック社の佐藤幸一さん、および竹石健さんにも、この場を借りて深くお礼を申し上げる。

二〇二〇年晩秋

篠田英朗

不安を煽りたい人たち

◉目次

2 「コロナ」騒動に踊る人たち …… 65

3 ポスト安倍の「宿題」解決法

4 「自衛隊は軍隊だ」がすべてを解決する

取材協力／竹石 健
装幀／須川貴弘（ＷＡＣ装幀室）

1

日本のコロナ対策は、ほぼほぼベストだった

「煽り系専門家」を大量動員したメディア

篠田　新型コロナが流行し、お亡くなりになられた方々が千六百人以上となっています。お悔やみ申し上げます。ウイルスのことを軽く見過ぎることはできません。ただ、世界的に見れば、日本はうまくやっています。人口あたりの死者数も感染者数も世界で一五〇位前後です。何とか頑張っているということです。それなのに、やたらと日本が崩壊する、政府は無能だ、と騒ぎ立てているメディアや一部言論人の「煽《あお》り」は、あまりに異常だと感じざるを得ません。

上念　新型コロナウルスはまだ収束の気配が見えませんが、毎週のように増減する新規PCR陽性者数（世間では感染者数という）をにらみながら、経済活動をもとに戻そうという動きが活発になっていますね。

篠田　新型コロナウイルス禍で経済面でのマイナスインパクトが強まると、不安が限界に達し、民衆に不満が溜まります。するとウイルスではなく、経済面で不安が高まるのは、古今東西の現象でも証明されています。過小評価は禁物ですが、過度の不安にかられることもなく、冷静に社会を動かしていかなければいけない。ところが、そういう潜在的不安がある社会情勢を見て、目先の視聴率に目がくらんだメディアだとか、理由は何でもよく、とにかく政府の批判をするのが格好いいと信じ込んでいるコメンテーターだとか、アメリカ人の言っていることを輸入してマウントする「煽り系専門家」が続々と現れて、民衆の不安につけこむ煽り商法を連日、熱心に繰り広げるという異常事態になっている。不安を感じている人々を見て、むしろニヤリと笑って、これはもっと脅かせば儲かるかもしれないとたくらむ人たちの無責任な行動には、つくづくあきれていま す。

上念　感染拡大防止の面でも、陽性者数増加が毎日毎日、報道されるのは、それだけでも大きなストレスでしたよね。

篠田　健康被害の面でも、経済不安を解消する意味でも、民衆が抱えているストレスや不満を、今後、どう解消していくかは、菅新政権の大きな課題ですね。肝心の感染者数は減っては増える、の繰り返しなので、簡単に安心はできないのは確かです。経済面でも、景況感は一時の大幅な悪化から持ち直しつつありますが、先行きはまだ不透明です。そうした国民の漠然とした不安感に対して、少なくとも「きちんと対応しているから安心してください」と、政治家は明確に答えなければいけない。それは医療的なものだけではなく、精神的なニーズも含まれます。経済的な問題も入るでしょうけど、それにどういうプランで答えていくのかという見通しを、相変わらず政府がコミュニケーションできていない。そこに「煽り系専門家」を大量動員した無責任なメディアがつけこんでいる。いまの日本にとってのリスクは、ウイルスそのものよりも、「煽り」による社会不安のほうではないでしょうか。

上念　政府の政策も、国民とのコミュニケーションの部分でも、大きな改善の余地があることは間違いないですよね。ただそれを煽っているメディアと、いろんな階層の人たちが勝手に議論を展開し、それが混乱を拡散させている。

篠田　コロナ禍の国民とのコミュニケーションに苦慮している政治家と、「煽り系専門家」を使って政府批判をすることしか頭にないメディア、そしてそれに乗せられている人たちが、いまの混乱した日本社会の危機的現状を作り出しています。この新型コロナですぐに日本が沈没するなんて、そこまで深刻に急に捉える必要はないのに、由々しき事態が進行しているといった、漠然とした危機感だけが日々蔓延し続けています。

「日本モデル」を支えた英雄たち

上念　篠田先生がおっしゃるような危機的状況があるにもかかわらず、日本がいま土俵際で踏みとどまっているのは、おそらく失業率と倒産が思ったほど増えなかったからだと思うんですよ。日本の経済政策は紆余曲折《うよきょくせつ》があったものの、先進各国と比べるとうまくいっていたと言えるかもしれない。

ただ油断はできません。今年八月の失業率は完全失業率三・〇％に悪化、求人倍率一・〇四倍に低下と、欧米に比べれば圧倒的に低い水準ですが、失業者数は二百万人を超えて来ていて、特に再就職が難しくなっています。雇用情勢が悪化すれば、せっかく少し沈静化した社会不安が再燃する可能性があります。

この間の各国のコロナ対策に伴う経済対応策を見てみると、ヨーロッパは財政支出をケチり過ぎた、だから失業も増えていると感じます。二十数カ国が財政出動をしていますが、それぞれが案外にショボい金額。「これで何ができるの？」といった程度です。

逆に、アメリカは大盤振る舞いし過ぎました。働いていた時期よりも多いほどの手取り額を支給してしまった。その結果、労働意欲が減退してしまったというのが、いまのアメリカです。膨れ上がった財政規律を今後、どう収縮させていくか、アメリカはますます大変な事態になると思います。

日本は、多過ぎず少な過ぎずという程度の支出で、社会的にも経済的にも、意外とダメージが少ない。二〇二〇年第二四半期GDPの落ち込みで見ても、アメリカは年率換算で三二・九％のマイナスでしたが、日本は二七・九％の落ち込みで踏みとどまれた。それらを勘案しても、日本の経済政策自体は、あの混乱のなかでそれほど悪くなかったのです。

ただ少し気になるのは、少しは持ち直したと言っても、根強い先行き不透明感が蔓延していることです。特に、新卒の就職市場は就職氷河期のような様相になるかもしれない。まだ、顕著にはなっていないですが、警戒は必要です。

特に、飲食、サービス、旅行業界や運輸業界の落ち込みは厳しく、JALもANAも大赤字。この惨状が続くと国有化も視野に入ってきます。JR東日本は「コロナ後も乗客数復活が見込めない」ということで、首都圏の終電時刻の繰り上げを発表しました。

〝ほぼ一人負け〟状態の宿泊・飲食・サービス業の動向は、庶民の景気実感に大きな影響を与えます。コロナを収束させるとともに、日本経済全体を浮揚させるためにも、これをいつ、どんなふうに改善していけるかが課題です。

篠田　紆余曲折があったにせよ、現時点では何とか頑張っているということですね。

上念　コロナ禍に対する経済対策は、先進国の中では相対評価ナンバーワン。しかし、心底、不満を溜め込んでいる人たちが存在するのも事実です。

ただ今後、コロナ禍がどんな状態になるか次第ですが、急激に失業率が増えたり、驚くほど給与水準が下がり始めたり、就職自体をあきらめざるを得ない人が増えてくると、悪夢の民主党政権誕生前夜のような状況にならないとも限りません。「内閣が変わったけど、何もよくならないじゃないか」といった声が増えてきて、そこにリーマンショックのような世界同時不況が起こると、深刻な事態を引き起こしかねない。

やはりこれからは、経済の舵取りがとても重要になる。不安は完全に払拭できないでしょうけれど、「最後の一線」を越えないためにも、政府は効果的な対策を編み出し、上手にアナウンスしていくことが大事だと思っています。

篠田　日本のいままでのあり方は、劇的にすごくパッとしているわけではないかもしれませんが、間違えてはいません。「優等生」と言うにはおこがましいかもしれませんが、世界平均と比べれば、明らかに成績がいい。感染者数も死者数も抑え込めています。それは、数字で明らかです。

この様子について、そうはいっても場当たり的で再現不可能だからダメなんだ、という議論もあります。正直、政府の中では状況がつかめないまま動いていた人も多いのでしょうね。だけどそれはないものねだりではないでしょうか。政治家も官僚も、本当の意味で感染症の専門家ではありません。新しいタイプの危機の中で、その場その場で自分の役割を果たすのに精いっぱいで、全体が見えていなかった人が多かったのは仕方がないと思います。それでも安倍首相の時代の新型コロナ対策が好成績だったのは、煽り系の人々の連日の無責任な言説に惑わされることなく、ぶれずに信頼すべき人を信頼して、政策を進めたからでしょう。

二月中旬に「新型コロナウイルス感染症対策専門家会議」が招集され、現在の「新型コロナウイルス感染症対策分科会」でも中心的な役割を演じている尾身茂《おみしげる》氏や押谷仁教授らが全体像を見ていく体制ができました。そこで国家としての対策の方針も打ち出されました。政治家や官僚のほとんどが状況を見ることができていなかったとしても、関係がありません。信頼できる専門家の方々がいらっしゃったのですから。私は、二月下旬以降に専門家会議によって意識化された新型コロナ対策の全体像を「日本モデル」と呼び、尾身先生や押谷先生を「国民の英雄」と呼んで称賛し続けています。「日本モデル」という言葉を使い始めたのは、私です。だからこそ無責任な煽り系の人たちのことが頭にくるわけですが……。

押谷先生がおっしゃっていることですが、二月中旬の段階ですでに日本ではウイルスの封じ込めは不可能だ、と専門家の方々は判断した。英断です。なぜなら不可能な封じ込めを強引に医療体制の崩壊も考えずに推し進めていたら、欧米諸国のように、かえって被害を広げるだけの結果が待っていたでしょうから。押谷先生が的確に説明するように、ウイルスの封じ込めに成功した台湾のような少数の東アジアの諸国は、以前にＳＡＲＳの脅威にさらされたことがあるため、新たな感染症に対する政策的な準備だけでなく、国民の心理的準備も整っていた諸国です。だから極めて早い段階で国境を閉鎖して、人の動きを止めることもできた。早期にウイルスの流入も遮断できた。そうであれば、封じ込め政策も可能になるかもしれません。もっともその後もずっとウイルスの流入におびえる日々を送らなければなりませんが。押谷先生らが進めた政策は、最初から封じ込めを目指さず、抑制を目指す政策です。結果的に、日本は抑制政策をとる諸国のグループで最良の成績を収めてきています。押谷先生らの英断の背景には、「新型コロナの感染力が非常に高いため封じ込めは極めて困難だが、代わりに致死力が低いため医療資源の有効活用によって被害を最小限に抑えることができる」という鋭い洞察がありました。現在では、封じ込めに成功した少数の諸国以外の世界のほとんどが、「日本モデル」路線の抑制策をとっていると思います。日本人はもっと自分たちの専門家のことを誇り、宣伝するべきなのですが、実際には無責任な煽り系の人々の「日本はダメだ、アメリカ人を真似しないから崩壊する」と言った話ばかりが垂れ流されています。すべての人にとって不幸なことです。

専門家会議の招集後に決定された新型コロナウイルス感染症対策本部の「新型コロナウイルス感染症対策の基本方針」(二月二十五日)では、「患者の増加のスピードを可能な限り抑制し、流行の規模を抑え」ながら、「重症者の発生を最小限に食い止めるべく万全を尽く」して、「社会・経済へのインパクトを最小限にとどめる」と定められました。結局、今日に至るまで、この時の専門家の方々の洞察と、基本方針の目標のままに、日本の新型コロナ対策は堅実に進められてきています。

それなのに「感染者をゼロにしていないから日本は失敗した」とか騒ぎ立てる煽り系

の人たちは、勝手に実現不可能で夢想的な非武装中立論を掲げたうえで、完全な平和を達成していないという理由で政府を糾弾し自衛隊を邪魔者扱いする、無責任な自称・絶対平和主義者の人たちと同じくらいに罪深いですね。

　高い公衆衛生レベルを維持して手洗いマスクを忠実に欠かさない国民や、感染症対策を整備するには時間が必要だったとしても、非常に質の高い体制を持っていた医療施設が、「日本モデル」の武器でした。もちろん、献身的な努力をなさり続けた保健所の方々や、徹底した対策をとってクラスターを防いだ高齢者施設の運営者の方々も、目立たないですが「日本モデル」を支えた大英雄です。そこに押谷先生ら専門家の方々は、要領を得た「三密の回避」という対応策を、素人のわれわれに提供した。「三密の回避」は、「一割のスーパースプレッダーによるクラスターの発生を防げば、大規模感染拡大は防げる」という押谷先生らの世界最先端の研究と洞察に依拠した素晴らしいものでした。国民の底力を最大限に生かした「日本モデル」は、WHO（世界保健機関）勤務時代にSARS（重症急性呼吸器症候群）対応の経験も積んだ尾身先生や押谷先生の現実感覚あふれる洞察の賜物でしょう。

　こうした卓越した専門家の方々と、献身的な努力を重ねられている現場の無名の英雄の方々によって成り立っているのが、「日本モデル」です。それを、ただ「政治家と官僚は浮足立っていた」という理由だけで否定しようとするインテリ層の人たちを、私は本当に残念に思っています。

「全員にＰＣＲ検査を」という声も、不安を煽るマスコミには多くありましたが、短期間にそれを実行しようとしても無理がある。妊娠検査薬のように自宅でできるものではないのですから、全国民の検査が簡単にできると思うほうが間違っている。としたら、とりあえず「医療崩壊防止」を優先して、死者数、重症者数を抑えることを主眼に、そこから逆算して、できることをやるという考え方がベストだったことは、結果が証明していると思います。

上念　全国民にＰＣＲ検査を実施したら感染者がゼロになると、本気で信じていた人たちも多かったですしね。それにだいいち、ＰＣＲ検査がどういうものか、理解しているんですかね。例えば検査の正確性。最近の報告でも、その感度は五九〜七〇％くらい。感染症タスクフォースの文章でも「三割は判定から漏れる」と記されている。つまり百人の感染者のうち、三十人くらいは見落とされる可能性がある。過去に感染して無症状だった人でも、ウイルスの残骸が反応して陽性反応が出ることもあります。

篠田　はっきり言って「感染していない」という証明にはなりません。
上念　そして、見落とされた人が「もう大丈夫」と油断して普段通り街に繰り出したら、ＰＣＲ検査がかえって害になります。危険を振りまくことになりかねません。

「まずは重症者増防止」こそ賢明な選択

篠田　だから、まずは重症者が出るのを防ぐことに力点を置くほうがいいのです。日本では、新規陽性者が増えた時期でも、高齢者層の比率は常に一〇％以下に抑えています。これは高齢者施設関係者の方々の献身的な努力に加えて、高齢者や慢性疾患者の死亡率が高いということが国民意識に早期に浸透したことが大きい、と私は思っています。「日本モデル」は、強制力が伴わないところが特徴であり、弱点ですが、それを補って余りある国民の高いモラルがあるのです。
もちろん、高齢者の感染者数を一〇％以下に抑え込んでも、重症化する人は二〇％ほどいます。しかし重症者数を抑制できていれば、ＥＣＭＯ（人工肺とポンプを用いた体外循環回路による治療）などで対処すれば、入院後も致死率を抑え込むことはできます。この「日本モデル」で進めてきた方向性は、いまは「選択的な保護」として、欧州などでも主流の考え方です。

一つのプロジェクトとしての「日本モデル」の管理はきちんとできているのです。

ところが、もともと安倍首相が嫌いな人が「とにかく安倍首相はダメなんだ」とコロナ危機にもかかわらず、というかそれにつけこんで、扇動的な言説を垂れ流した。恐ろしい事態です。政府の様子を見ていても歯がゆかったですね。

上念 そういうコミュニケーションがなかったというのが、おかしな点ですよね。

篠田 そう、その明快な説明がなかったのは、政府の責任もありますけどね。

上念 いや、わざと隠していたのではないかと勘ぐってしまいたくなる。「リスクコミュニケーション」が致命的に下手くそ。そこでどんな経済政策を打ち出すかに私は注目していたのですが、結局「十万円給付」に落ち着くまでに二転三転した。「Ｇｏ Ｔｏ」政策の迷走ぶりも、腰が定まらなかった。

それは、いろいろ配慮しなければいけないところが多すぎたからです。「トラベル豪族」という人種がいて、彼らに補助金を配らなければ票に繋がらない。しかし、そのトラベル豪族の中でも、特にＪＲと航空会社のダメージが大きく、そこに資金援助をしなければならない。でもあからさまな補助金という形にすると、世論の反発を招くので、「では国民全体で使ってもらおう」という形にしたら、たまたまタイミング的に検査陽性者が増えた時期と重なってしまって、批判を浴びることになってしまった。誤算の連鎖です。

ですから「トラベル豪族」に配慮などしないで、最初から「重症者をとにかく減らします」という方針一本で、「陽性者の数字は関係ない」と言い切ってしまえばよかったんですよね。

二〇〇九年に発生した「新型豚インフルエンザ」のときも、結局は問題が広がらなかった。「家で寝てればほとんど治ります」と言っていたら、やがて収束していきました。

今回のコロナウイルスに関しても、ＰＣＲ検査対象者は「発熱が四日以上続いた人」に戻しても構わないと思っています。少なくとも、「症状は出ていないけれど、感染しているかどうか不安だから」という人まで検査するのはおかしい。

ところが東京の世田谷区ではＰＣＲ検査を拡大させる「世田谷モデル」を打ち出しました。「無症状でも不安に思った人は誰でも検査が受けられます」というので、高齢者が不安になって検査会場に押し寄せた。会場に人が集まったら、そのほうが「三密」で危険。

「危ない街」になりかねません。マスコミに煽られた高齢者が、そこで感染したらシャレになりません。結局、大行列ができて、「密になるといけない」と、途中で中止するという体たらく。

篠田　感染を防ぎたいと叫びながら、わざわざ感染を広めたいのか？　と思わざるを得ないですよね。

上念　これを提案したのは、東大先端科学技術センターの児玉龍彦名誉教授。七月十六日の参議院予算委員会で、「いま対策を打たなければ、来週は大変なことになる、来月は目を覆うようなことになる」と言っていました。

東日本大震災のときに、原発事故のあった福島地域を対象に、小児の甲状腺がんのスクリーニング検査をしましたが、今回も同じ。住民のＱＯＬ（クオリティ・オブ・ライフ）を上げたいと言いながら、かえって下げることを平気でやるわけです。この思考方法がおかしいなと思っています。

「ＰＣＲ検査至上主義」の大間違い

上念　そもそも、ＰＣＲ検査を増やせば感染症が防げるというものではないし、検査そのものは陰性の証明にはならない。そうではなく「マスクを徹底して、三密を避けること、具合が悪いときは一週間休んでください」と、資料に書いてあります。

でもマスコミや左翼思考をする方々は、それを無視して、誰かに責任を押しつけたうえで、「それでいいのか？」と理由もなく糾弾する。無責任です。万が一、自分がそれで感染したら、「いいって言ったじゃないか！　あんたのせいだ」と責任を転嫁する。そんな浅知恵が見え隠れしています。

篠田　左翼的傾向がある人は、知識人になりたい、そのためには政府のやることなすこと、すべて批判しないといけない、と思い込んでいる。だから日本がＰＣＲ検査の体制が当初整っていなかったのを見つけて狂喜して、わざと「国民全員にＰＣＲ検査を」なんて叫んだりするんですよね。中途半端なＰＣＲ検査が、かえって危険だということを言おうとしない。

これは憲法九条に関する論議と一緒です。絶対平和主義の自衛隊を否定するおかしな憲法九条解釈を振り回して、非武装中立で平和を達成しないのは、政府が「戦前を復活」させて「いつか来た道」を進んでいるからだ、などと必死に国民を煽りまくろうとする。

憲法問題は長い歴史がありますから、さすがに普通の国民は慣れていて、「煽り系知識人」に煽られる人は、さすがにもうあまりいないですけどね。もっとも二〇一五年の安保法制の導入時には、うっかり「これで日本は戦争になる」の煽りに騙されてしまった人たちがだいぶ出現しましたが。それにしても騙された人よりも、無責任な煽りで騙した人のほうが罪深いことは言うまでもありませんが。

日本単独で非武装中立を掲げても、世界の紛争のリスクは減らない。むしろ日本が安全保障の空白をつくったら、不安定要素は高まるでしょう。ではどうやって現実の中でマネジメントしていくのか。そしてマネジメントを計算した結果を、よりよく伝えていくリスクコミュニケーションをはかっていくか。それが課題なのです。

上念　同じですね。どうマネジメントしていくのかの道筋も考えないで、「とにかくやれ」と一方的に要求する。やらない政府は無能だと責める。

篠田　ＷＨＯ事務局長上級顧問の肩書きを駆使して「日本はすでに感染爆発している」と煽りまくった渋谷健司氏とか、医療ガバナンス研究所理事長の上昌広《かみまさひろ》氏などが、立憲民主党に重用されていました。でも立憲民主党も長期的なプランを持っているわけではなく、〝専門家の肩書を借りて安倍政権を攻撃する材料に使えるんだったら何でもいい〟

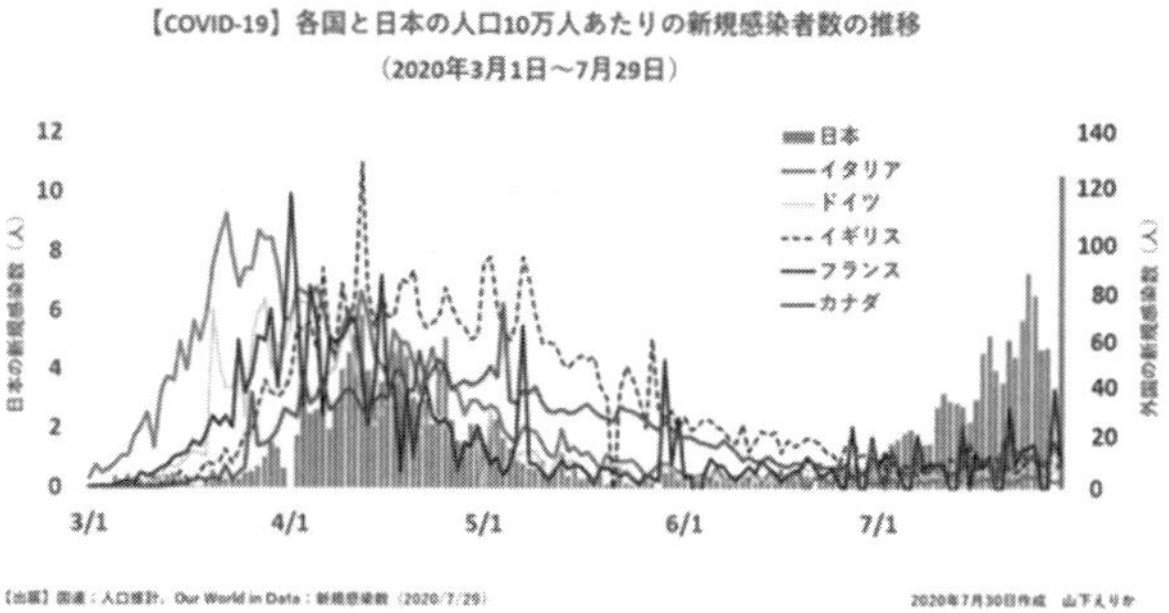

という魂胆しかなかったでしょう。

上念　渋谷氏は、四月の段階で「通常の肺炎で死亡している人の中に、コロナによる死者が隠されているのではないか」という趣旨の発言までしていましたからね。

篠田　あまりにひどいのでジュネーブの〝本物の〟WHOの知り合いに報告しました（笑）。最近は「WHO事務局長上級顧問」という肩書きを使わなくなったようです。

上念　上氏も結果として間違った話を流してきた人ですよね。「【COVID－19】各国と日本の人口一〇万人あたりの新規感染者数の推移」という上のグラフを見てください。左端の「日本の新規感染者数（人）」という軸の目盛りは「0、2、4、6……」と二人刻みなのに、右側の「外国の新規感染者数（人）」の軸の目盛りは、「0、20、40、60……」と二〇人刻みになっている。だから日本の新規感染者数が、各国のそれと比べて桁違いに大きく見える。でもすぐにバレて、他の医師からグラフを修正されていました。

篠田　しかも八月の途中で終わっているグラフを、十月になってもまだ垂れ流していました。歴とした医師のすることじゃないと私は思います。

「政府は無能！」と言い募る人々

篠田　話を戻しますが、毎週一回ずつ、全国民が検査できる態勢がすぐに整備できるのなら、それは主張するに足る理由があります。歯を磨くのと同じようにできて、ＰＣＲ検査の試薬を全世帯に配れるのならね。経費も一個あたり一〇〇円程度なので、大きな財政負担にもなりません。でも、それを無視して「やらないのは政府の責任」と、一方的に攻撃するのは、「何でも反対」の、昔の社会党と変わりがない。

ＰＣＲ検査についても、これと同じ理屈で、現実派と理想主義／反現実派との戦いになってきています。とにかく「政府は無能だ」と主張したがる人と、「そうではないよ」と語る人との間で、積年の恨みつらみの争いになっているように思えます。

上念　「お前が嫌いだから、やることなすこと気にいらない」といった感じですね。

篠田 困った構図ですね。「いつもお前が言ってることはあてにならない、今回もそうだろう」というような、そういう構図。残念ですね。でもこれも、やはり政府が、リスクマネジメントを明確に示さないからでもあるのですけどね。通常は、冷静に考えたらどちらに合理性があるか、普通の国民でも大抵は見えてくるのですが、新型コロナのように突然の危機の場合には、やはり国民も煽られて不安になりやすい。そこで、「まだ見えていないが実は日本はもう崩壊している」「だから崩壊させた政府を糾弾しよう」という煽り系「専門家」につけこまれてしまう。

上念 まさしく憲法九条問題と一緒ですね。歴代の政府がお茶を濁すような形で適当なことを言ってきた。その責任は大きいですよね。

篠田 選挙のことを考えたら、あまり事を荒立てないほうがいいという思惑があるからです。コロナ禍に際しても、人間社会をマネジメントしていく中で、もっとも最適解としてのリスクマネジメントとは何なのかを、政府はもっと明確に示すべきです。本当は何も難しいことはない。押谷先生が書いていることをしっかり読み、押谷先生が言っていることをしっかり受け止め、あとはそれを一般国民にどうやってわかりやすく伝えていくのかだけを考えればいい。優れた専門家を持っている日本の政治家は、実はすごく恵まれているんです。確かに新型コロナウイルスをすぐに撲滅することはできません。でもきちんと管理することができている。「現実にできることの範囲内で最適解は何なのかを、しっかりとみんなに伝えていくということです。それができていませんね。

上念　だから失望感や焦燥感が強まるのですね。

篠田　そう。でも、これは根が深い問題です。「コロナが蔓延している！」で、「日本は崩壊する！」と煽るのは、「九条改悪だ！」で、「戦前の復活だ！」と煽ろうとする態度に似ています。最近は、日本学術会議問題で「学問の自由の侵害だ！」で、「戦前の復活だ！」という決まり文句の〝煽り〟にもっていく方々がいることもわかりました。新型コロナのときは「外出するな！」の自粛警察が出動しましたが、日本学術会議問題では「軍事研究やるな！」の自粛警察が出動です。煽り系の専門家やら学者やらの言説は、どこまで暴走していくのでしょうか。

日本は〝うまく〟対応してきた国

篠田　さきほども申し上げたとおり、今回アジアで新型コロナへの対応が見事だった国は、SARSの経験がある国なんですよ。単純と言えば単純な話です。感染症が怖いですから、よく準備をしていた。日本は直撃を受けていなかったので、意識が甘かったと言えば甘かった。しかし、人間の世界とはそんなもんですよね。甘かったことは反省して、次に備えるしかない。それでも「抑制」政策グループで最良の成績を維持している。

今回のこの騒ぎの教訓を生かして、さらにひどい被害を出すような感染症が襲ってきたときに、ちゃんと準備してありますよと言えるかどうかが、きちんとした国かそうでないかの分かれ目になるはずです。実は、一番の課題は、やはりリスクコミュニケーションのところだったのではないでしょうか。そういう問題意識が必要だと思います。

上念　PCR検査をもっと広げるべきだという意見がありましたが、重症者と死者を抑えることが第一の目的なのだから、むやみやたらとPCR検査をすればいいというものではないと、なんではっきり言わなかったんですかね。理解していなかったのかな。

篠田　増やすこと自体が悪いということではなく、医療崩壊を防ぐためには、PCR検査をむやみに増やさないことが重要で、医者が必要と思ったときに自由に使うということでもあるわけです。クラスター対策の観点から、歌舞伎町の関係者に対して政策的に集中PCR検査を実施するといったこともやっていますね。必要な対象には、迅速に広範にやるということです。

上念　それを実現するためのPCR検査拡大であるとは、最初から言っていること。

篠田　世論に迎合したのか、反応を気にしすぎたのか。でも私は、マスコミの伝え方が悪く、悪意さえもあるのではないかと疑っています。政府側もうまく伝えていないし、受け取る側に悪意があるから、真意がまったく伝わらない。そのことを含めて、コミュニケーションスキルを何とかしていかないといけないですね。

上念　要するに、リスクコミュニケーションのイロハがなっていない。リスク管理という点も含めて、問題に対する理解度は低いと、残念ながら思わざるを得ないですね。

篠田　安倍首相という人は、自分がいいと思った人は評価する。専門家会議（現在は分科会）の尾身茂会長を信頼し、「尾身・押谷ライン」を尊重しているので、彼らの話を自分の考えとして語っていました。「自分で考えていない」とか「知性が低い」（笑）などと酷評されましたが、安倍首相は感染症の専門家ではないし、悪い意見に振り回されるよりはましです。本当に信頼できる有能なブレーンを登用して結果を出すことが、政治家としてのつとめでしょう。

ところが、いわゆる偏差値が高いと自分で思っている人ほど、世論迎合型になっていく。加藤勝信前厚生労働大臣（現官房長官）が八月初めあたりに、緊急事態宣言について、「陽性患者が拡大したら緊急事態宣言を発動するかもしれない」と語りましたが、とてつもなく感染者が増えた結果、医療崩壊が近づけば緊急事態宣言が出されるのは確かでしょう。でもこんな当たり前のことをわざわざ口にすれば、不安を煽りたいマスコミの思うツボです。

せっかく総理が、「重症者を防ぐことを最大の関心事項として政策を立てています」と語っていて、それが少しずつ広がっているのに、なぜ「陽性患者が増えたら緊急事態もあり得ます、私はワイドショーの煽り系専門家のことも尊重していますよ、皆さん今後ともどうぞよろしく」といった趣旨の発言をしなければならないのか。厚労大臣が、そこだけ切り取られてニュースの見出しになるようなことを語るのは、理解に苦しみます。彼の発言は、間違ってはいない、しかしリスクコミュニケーションという観点からすると、意図不明だし、逆効果です。「専門家の助言をもとに、一貫して医療崩壊を起こさないことに主眼を置いて取り組んでいます。いまは緊急事態宣言を発令する段階じゃない」と、きっぱり断言すれば、それでよかったのです。

「政府は専門家の助言を受けて、重症者の数を減らすことに、少なくとも二月下旬から、総理と一緒に一貫して取り組んできている。それは継続して警戒しつつ慎重にやらなきゃいけない」と、そう言えばいいのです。「いまのところそれで破綻しないから、これからも頑張る」という趣旨が見出しになるように、きちんと伝えなければいけません。あわせてしっかりと国民の前で、尾身先生や押谷先生を称賛し、謝意を表明する機会を作るべきだと思います。

加藤大臣のような発言があると、実質的に意見がバラバラだという印象を与え、「閣内不一致だ」と騒がれないとも限らない。しっかりと計算されつくした行動や発言を心がけてほしいですね。

上念　加藤勝信前厚労大臣は今回、そういう感じで、コミュニケーションをミスり続けていましたね。ただ厚労省の中では非常に評判のよい人なんですけれど。

篠田　そうですか。

上念　とても呑み込みが早いらしいんですよ。だから官房長官に起用されたのでしょう。でも元官僚だから、いつまで経っても官僚気質が抜けない。政治家ではないんですね。

篠田　黙っていればいいいんじゃないですか。官僚から評判がいい大臣なら、余計に余分なことは言わないでね。

上念　「首相の会見の通りです」って言い続ける……（笑）。

世界に誇るべき重症者中心の「日本モデル」

上念　それはともかく「三密の回避」は、日本モデルの象徴ですよね。

篠田　飛沫感染を防止するための〝ソーシャルディスタンス〟一辺倒だった欧米と異なり、日本には「エアロゾル感染こそクラスターを生み出す」という、深い洞察があったわけです。そこで「密閉」「密集」「密接」の「三密回避」を呼びかけた。簡明なメッセージとして国民に広めたため、いまや子どもでも知らない者はいないだろうというくらいに普及している。これは世界に誇るべきことです。

七月七日、WHOの感染予防の責任者も、「換気の悪い場所での感染の可能性は否定できない」とエアロゾル感染の可能性を示唆しました。でもそれは日本では三月から対策を呼び掛けていたのですから。エアロゾル感染がどうのこうのと、うんちくを傾けるところを省いて、「三密を回避してください」というメッセージを出していった。公衆衛生の実務にたけていらっしゃる専門家の方々だから、国民との間のコミュニケーションも素晴らしかったですね。

二月中旬に専門家会議が招集された段階で、専門家会議は「封じ込めは不可能」と分析したうえで、感染力は高いが致死力は低い新型コロナの特性を洞察して、「重症者中心主義」というべき姿勢を打ち出しました。それにそって実際に日本は、医療崩壊を防いで重症者に適切な医療を施すことができました。合わせて新規陽性者数は完全に封じ込めることを過度に目指し過ぎず、要領よく感染拡大の抑制をはかるために、「三密の回避」という強力な国民の行動指針を出したのです。

欧米諸国が「封じ込めたい」と、感染者ゼロを目指して〝急進的な政策〟（ロックダウン）や過剰な検査主義を採用して、かえって医療崩壊を起こしたのとは正反対。平均的な国民の行動変容の期待値が高い日本では、「三密の回避」を中心にした「抑制」管理のアプローチは、最適解だったと言えるでしょう。

上念　政府のコロナ対策の話になると必ず出てくるのが、〝八割おじさん〟こと北海道大学の西浦博教授が提唱した「西浦モデル」。専門家会議のメンバーでもないのに、四月から五月にかけて会見で、「人と人との接触を八割削減できなければ四十二万人が死亡する」と主張した。これにマスコミがワッと飛びついた。

篠田　西浦モデルの原型である「ＳＩＲモデル」には、致死率は常に一定で、死者数は感染者数から一定の割合で算出される、という画一的な考え方があります。死者数は独立変数ではなく、従属変数です。典型的な「感染者中心主義」と言えましょう。だから全般的に人と人との接触を減らすか、集団免疫を獲得しない限り、死者数も減らせないという結論になります。

上念　八割削減なんて、徹底的なロックダウンをしないと、現実的には無理ですよね。

篠田　そうです。それに比べて「重症者中心主義」は、高齢者と基礎疾患持ちが脆弱《ぜいじゃく》な層であることに着目した。だから経済活動を再開しても、国民の努力でその層への感染を抑制できれば、新規感染者数は増えても重症者、死者の急増はない。もちろん、だからといって感染者がどれだけ発生しても気にしないというわけにはいかないので、「封じ込め」でなくても「抑制」ははかる。そこで厳格なロックダウンは回避しながらも、継続的な「三密の回避」などで大規模クラスターの発生を防ぎ、爆発的感染拡大を防いでいく戦略ですね。

　この「日本モデル」が成功するかどうかは、国民のモラルにかかっていたというわけですが、実際、日本国民の行動規範の水準の高さは、日本が持つ最大の武器といってもいいものですから、この戦略は理にかなっていました。

ところで「日本モデル」という概念については、私が作って使い始め、緊急事態宣言の終了時に安倍首相が「日本モデルの底力を示した」と発言されて、有名になりました。ところが、その後に、「中身がない」とか「その場限りの対応の積み重ねだ」とかという理由で、「日本モデル」の概念を使ったとされる政治家や官僚の方々を批判する人たちが現れて、関係者の皆さんには申し訳なくなりましたね。私が言いたかったのは、「日本モデル」と言ってもいいものが存在しているのに、誰も意識化しないと宝の持ち腐れになる。体系的に考えて説明する役を誰かがやったほうがいいよ、それがリスクコミュニケーションにもなるだろう、ということでした。

元朝日新聞記者の船橋洋一さんの一般財団法人アジア・パシフィック・イニシアティブが、政治家や官僚への批判を「日本モデル」への批判としてまとめたレポートを出しました。そこでは「日本モデル」は「感染症対策と経済維持の両立」と定義されているのですが、私の「日本モデル」の概念とまったく違いますね。だいたい感染症対策と経済維持を両立しない国って、存在しているんですか？　自分たちで「日本モデル」の概念を恣意的《しいてき》に定義したうえで、その恣意的に定義された日本モデルが体系的に追求されなかったと言って関係者を批判するのですから、朝日新聞は喜んでいるでしょうね。私としては、「なんで私のところに来なかったんだ」、と言いたいですね（笑）。

船橋さんはかなり早い段階から「日本特殊論ではダメだ」みたいな一九八〇年代バブル時代の日本批判みたいなことをおっしゃっていましたね。意地になられたのかもしれません。しかし言い出しっぺの私を無視し、意識化もしていなかった他の人たちを批判するためにその概念を使うのは、いただけません。

私が「日本モデル」という概念を使い始めたのは、政治学者として、日本の新型コロナ対策の特徴を一つのパッケージとして捉えるためでした。日本モデルを最初から意識してやっていましたか？　って政治家や官僚の人に質問して、うまく答えられないのを見て、「日本モデルはダメだ」と評価するって、ちょっと的外れですね。

私が言いたかったのは、良いところも悪いところも両方含めて、自分自身が持っているものを自己分析していったほうがいいよ、そのために自分たちがやっていることを「日本モデル」として意識化してみたほうがいいよ、ということでした。そうすれば、どこを長所として伸ばして、どこを短所として改善していくか、よく見えてくるから、ということなのです。日本は特殊だとか、そういう話はしたことがないし、まったく関係がありません。

ある一つのプロジェクトの戦略を精緻化《せいちか》する際、もちろん他人のいいところを勉強して取り入れることも必要です。でも自分の長所と短所の把握は、絶対不可欠ですよ。人間には、やれることと、やれないことがあります。やれないことをやれるようにする努力は、やれないことを冷静に見極めた後の話です。

たとえば、日本では七月以降にあらためて新規陽性者数の増加が見られました。尾身先生も押谷先生も落ち着いた態度を崩しませんでした。そしてそのまま新規陽性者数は抑制されていきました。その様子を見て調べなければならないのは、尾身先生・押谷先生は、なぜ落ち着いて見ていられたのか、ということですよ。私はそれをすでに三月から「日本モデル」という概念を用いて総合的に分析しようとしていた。ところが、「そんな概念を使うのは日本特殊論だ、もっと謙虚に死者も感染者数も世界一のアメリカ人たちがやっていることをどうやって模倣するかを考えろ」という話ばかりを、日本の煽り系の専門家や知識人やらが繰り返しました。とても残念です。結果として、日本人のほとんどはいまだに尾身先生や押谷先生を理解できていない。

上念　日本モデルをよく理解していれば、感染者増大で慌てふためくこともない。新規感染者数だけを取り上げて、それを垂れ流すマスコミの姿勢が、いかに無意味か、わかってきますよね。

危機対応には厚労省より自衛隊の活用を

篠田　経済対策を担う西村康稔《やすとし》経済再生担当大臣も、初期の頃に比べると、格段によくなってきましたね。最終責任者は総理大臣ですが、一人ですべては判断できません。現場への司令塔が必要なので、西村大臣を仕込むしかない。時間の経過とともに、だいぶ、腹がすわってきたなと感じました。尾身会長ともよく相談して、間違いないことを言うようになりました。

厚労省はもともと平時体制の省庁で、危機管理体制には向かない省庁。リスクマネジメントに慣れていないようです。しかしこんな時代には、危機対応型の専門組織として生きていかなければいけません。

模範にすべき組織は自衛隊です。自衛隊は前線で感染者の救助に当たったり、患者を自衛隊病院で診療したりして、各種のリスクはあったはずなのに、一人も感染者を出さなかった。ダイヤモンド・プリンセス号に対応したとき、厚労省の職員は複数名が感染しましたが、自衛隊からは出ませんでした。十月になってから、朝霞《あさか》駐屯地で教育課程に参加した隊員が感染するなどの事例は起こりましたが、新型コロナの対策中には自衛隊員の感染例は発生していません。実はこれはすごいことなんです。感染症対策というのは、当たり前のことを徹底してやっていくこと。とても面倒くさい。アフターファイブは風呂にゆっくり浸かればいいからと、きっちりと休みをとらせたりしながら、対策を講じ続けました。

自衛隊の場合は、地道な活動を続けていかないと組織の存在価値が下がるという意識が徹底しています。それに比べ、アメリカの海軍の士気はそこまで高くないから、ひどい有様になりました。

上念　確かにひどかったですよね。

篠田　自衛隊は、市ヶ谷のホテルグランドヒルと提携して、ホテルぐるみで海外から到着する入国者に対する水際対策を担当しました。空港でＰＣＲ検査を行い、陰性だった者を二週間ホテルで隔離させるという措置ですね。まだ何も仕組みができていないところで活動を立ち上げ、ダイヤモンド・プリンセス号での対応に続いて、一人の感染者も出さなかった。人間のやることですから、多少は出ても仕方ありません。ところが、徹底して感染対策に邁進している。三月下旬の時期に、自衛隊が空港で緊急対応をとっていなかったら、大変な事態が起こっていたかもしれません。いまは空港での検疫は民間の人たちに引き継がせていますが、自衛隊が作った仕組みに乗ってやっているはずですから、よくできているのではないでしょうか。自衛隊は、化学兵器が使われた場面とかを想定した危機管理の訓練をやっている集団ですから、このレベルの緊張感を持って対応できる組織は、日本には他にありません。三月に海外からの訪問客の入国を止めたのが遅かったといった指摘がいまなされていますが、入国を止めた後には自衛隊のリソースが投入されて、入国制限措置の効果をしっかりと確保したことは大きかったと思います。

ちなみに自衛隊病院も数多くの新型コロナ患者を受け入れて、院内感染も起こさず、多大な貢献をしています。自衛隊病院の方々も、あまり報道されないですが、地道に「日本モデル」を支えた英雄です。

「自衛隊の皆さんは、とても頑張っている」というアピールは、安倍首相ですら足りなかったかもしれません。そして「これに関しては、自衛隊にも混じってもらって、相談して危機対応します」と明言するとか、「危機なんだから、厚労省案件ではない」として、危機対応の会合も防衛省に仕切らせるとか、そのぐらいやるとよかったのではないでしょうか。当然、厚労省側は反発するでしょう。でも、「それがベストなんだ」と首相が一言いえば、危機管理体制なんだという緊張感のある雰囲気にシフトします。国民の目から見てもこれは全然おかしくない。お茶の間のお父さん、お母さんも納得するはずです。それをやってこなかったのが残念ですね。

日本は「抑制」管理派の代表格

上念 「封じ込め対策」に関しては、篠田先生がおっしゃる通りで、一月二十三日のタイミングで、全世界で「渡航制限」を実施しました。しかし、アメリカ、ヨーロッパではまったく効果がなかった。当初の感染者数は日本より少ないように見えたんですけど、その後、パンデミックを起こしてしまった。

篠田 先ほども述べたように、欧米と比較して日本はＰＣＲ検査数が少ないとか、他の東アジアと比較すると死者数が多いという声があります。いろいろな比較の仕方がありますが、政策面から観察してみると、諸国のコロナ対策は、だいたい三つのグループに分かれます。「封じ込め」制圧派、「抑制」管理派、あとは「危機」放任派といわざるをえない状態の諸国もありますね。

日本は「抑制」管理派の代表格です。二月下旬というかなり早い段階から重症者中心主義の「抑制」管理を意識的に採用し始め、結果を出した国だと評価できると思います。「封じ込め」政策の要点は、早期徹底水際対策です。例えば中国全土からの入国禁止など、徹底して感染ルートを潰していくことです。早期から完全な鎖国体制を整えれば、感染者は出なくてすみます。一般に自由主義的な国では難しい。中国のような独裁国家なら、武漢市封鎖も簡単にできる。でも日本では各本面からの反対が強い。それを収拾するのはなかなか困難なので、実施をためらう。国のあり方によって、政策が違ってきます。

水際対策を早めにとって、早期封じ込めを選択した国は、中国を別にすればまず台湾、ベトナム。いずれも中国に近い国で、中国の脅威を感じている国です。これらは過去に中国を発生源とするＳＡＲＳの直接的脅威を経験しています。危機意識が高いので、国民に説明しても、簡単に納得してくれる国です。日本は過去にＳＡＲＳやＭＥＲＳ（中東呼吸器症候群）の被害を免れました。ただ、そのために日ごろからの感染症対策の準備が万全ではなく、今回のCOVID-19の到来に際しては、体制を整えるのに時間がかかってしまった。その遅れを挽回してくれたのが、尾身先生や押谷先生らの専門家です。かえって世界で最も早く「抑制」を目指すアプローチをとり、結果的には「抑制」管理グループの代表格となった。当初は右往左往していた欧州諸国などは、最近は「封じ込め」を諦めて続々と「抑制」管理グループに移動してきました。いわば「日本モデル」の路線にあわせてきたのです。ドイツ人などは「日本モデル」をよく評価してくれています。日本人は自国内の「日本特殊論ではダメだ、とにかくアメリカ人を真似するんだ」という煽り系専門家・知識人ばかりの話を聞いているので、気づいていませんが。

上念　台湾もベトナムも評価すべきですが、幸運だったという面も否めない。台湾は昨年八月から、アメリカとの接近を理由に、中国からの個人旅行客をストップさせられていたし、ベトナムはサイバー部隊が中国のサーバーをハッキングして、情報をいち早く入手していたし、ベトナムは一党独裁国家でもありますしね。

篠田　日本でも、武漢市が封鎖された一月二十三日の段階で中国からの入国を禁止させておけばよかったという意見がありましたが、それが実現可能だったかどうかは疑わしい。おそらく「やり過ぎだ」という批判が出たでしょう。安倍首相が三月に「小中学校の臨時休校」を決めたときにも、やはり非難轟々《ごうごう》だったですから。政治家としては、その負荷を考えて総合的に判断しなければいけなくなる。

どんなに正しい対策のように見えても、負荷が高まりすぎて国民の反対機運が高まると、結局取り組みにも抜け穴が出てきて、効果が出なくなります。「徹底して厳しい措置を導入して、なるべく長く維持するべきだ、そうしないのは経済などの不純なことを考えているからだ、命を優先せよ」、といった大雑把な空中戦の話をする煽り系専門家・知識人の方も沢山いらっしゃいましたね。でも、社会政策というのは、そういうものではありません。国民が実現できないことを、抽象的なモデルを根拠にして押しつけて、それで結果が出なければ国民の怠慢を責め立てるだけ、というのは、最悪の政治指導者です。最初のところから、何が実際に国民が取り組める範囲の事柄なのか、を見極めてあげないと、社会政策として意味がないのです。尾身先生や押谷先生ら、WHOでの実務経験もある公衆衛生のスペシャリストは、そのあたりもわきまえていたのでしょうね。「エアロゾル感染予防策の重要性は……」という言い方ではなく、「なるべく三密を回避しましょう」という言い方をすることの大切さを知っていたと思います。

もし日本もSARSを経験していたら、国民が納得してくれる政策の敷居も、最初からもっと低かったでしょう。四月以降は、煽り系専門家・知識人が脅かしまくるものですから、常に過剰反応する「自粛警察」タイプの人々もたくさん出現して、社会政策はいっそう複雑になりましたね。でも初期の状況はそうではありませんでした。政策判断は、いつもその時々の状況を見極めたうえでの総合判断です。私は、早期入国禁止措置をやるべきだったとおっしゃる人は正しいと思っていますが、しかし、実現できたかというと、いろいろな総合判断があって、日本はできなかった、と思っています。

ただ、もっと早い段階で入国制限措置をとったとしても、間に合ったかどうかはわかりません。世界の国で、日本よりもはるかに警戒していたヨーロッパやアメリカも感染爆発を起こしてしまいました。先に被害が出たイタリアの惨状に動揺した欧米諸国は、三月中旬になってから慌てて封じ込め政策に走り、激烈なロックダウンを導入し、突然の航空路の閉鎖を発表しました。すると移動したい人たちが空港に列をなし、「三時間、空港で並んでいます」といった姿が、欧米各地の空港で見られました。

上念　それで、感染が増えてしまったんですね。

篠田　そうなのだと思います。押谷先生は、そういう事態は避けなければならないと、ご自身のSARS対策の経験をもとに、はっきりと考えていましたね、

　また非常に重要な事例ですが、入国制限でずっと感染者を出さないで封じ込めていたミャンマーやネパールなどの国々は、夏になってからウイルスの侵入を許してしまい、九月以降に爆発的な感染拡大を起こしています。「封じ込め」政策についていえば、一瞬の入国制限で話が終わればいいですが、そうでなければほとんど兵糧《ひょうろう》攻めの中での籠《ろう》城《じょう》のような鎖国体制を続けなければなりません。果たしてそんな政策がどこまで持つのか。人口一億二千万人の国で、そのような机上の空論に近い政策をとり続けるのは、かなり難しいと思います。結果論で言えば、尾身先生・押谷先生が主導する「日本モデル」で追求してきている「抑制」管理アプローチが最適解だったのではないかと私は思っています。

上念　日本も、八割ぐらいは渡航を制限したんですよ。特に武漢がある湖北省との間を行き来する人に関して。というのは、当時、中国湖北省以外のエリアではパンデミックが起きていなかったからです。

　同じ中国で、何でそれが起こらなかったかと言うと、それは湖北省ではあの時期に、大宴会を頻繁に開く習慣があるからです。それで飛沫感染、接触感染で、あっという間に広まっていった。しかもいきなり封鎖したものですから、医療崩壊を引き起こし、ああいう大パニックに陥ってしまったのです。逆に湖北省の周りの省では、それほど増えずに収束している。もちろん、結果論ですけれど。また国立衛生研究所のＤＮＡ鑑定では、一月から三月上旬にかけて日本に入ってきた武漢型ウイルスについては、一旦ピークが終わったという事実が確認されています。三月下旬からの大流行は、三連休に欧米から帰国した日本人が持ち込んだ欧米型ウイルスによるものです。

つまり、日本が中国全土からの入国を禁止していたとしても、欧米から大量のウイルスが持ち込まれていたため、四月七日の緊急事態宣言は避けられなかったでしょう。緊急事態宣言の根拠になったのは、三月の三連休で新規感染者が増えたからです。これについて「三月上旬に新規感染者数が減ったために警戒感が緩んだから」という意見がありましたが、それは違う。三月上旬の感染者数減は、武漢から入った「Ｇ型」の流行ピークが過ぎたことによるものだと思います。

三月下旬の三連休で、欧米から多くの人が帰国しましたが、あの時は水際対策もなく、成田空港に帰国した人も検疫なしのフリーパス。このときに入り込んだ「欧米変異型」が、新規感染者を増やしたのです。だから武漢封鎖と同時に中国からの入国禁止措置を取っても、欧米からの帰国者の検疫を強化していない以上、結果は一緒です。つまり「渡航制限が重要だった」という方がいますが、中国だけでなく全世界に対して鎖国レベルの渡航制限をしない限り意味がなかったということです。

それが証拠に、イタリアなどは意外に早くから中国との直行便を運航停止したのですが、結局、感染は防げなかった。

二〇〇九年、メキシコ豚インフルエンザのときに、アメリカがメキシコ間の渡航制限を実施しましたが、これもあまり意味がなかったことが知られています。

今回の武漢ウイルスに限って言うと、中国を発端とする感染だから、きっと恐ろしい病気に違いない、といった思い込みがありました。こんなに怖いものが蔓延しているのに、なぜ政府は渡航制限措置を講じないのだという怒りもありました。

科学的な検証の結果、武漢が閉鎖される以前に、日本にも新型コロナウイルスが入り込んでいたというのが結論です。渡航制限しなかったから広まったというデマを拡散させる人がいましたけれど、これは真っ赤な嘘。アメリカでもとっくに拡散していて、昨年の十一月ぐらいから入り込んでいたという説もあります。

篠田　最初は保守系の人たちが中国からのウイルスの流入を警戒する警鐘を鳴らしていました。ところがウイルスの侵入が報道され始めると、「アベ政治を許さない」派の人たちが、後付けで「安倍のせいでウイルスが流行っている」といった話を始めたので、混乱が増幅したという事情もありましたね。

上念 日本で最初の感染者が発見されたのは一月十六日です。アメリカの第一号は三月とされていますが、常識的に考えて日本以上に大量の中国人が渡航しているアメリカで、三月のわけがない。昨年の十一月頃から発生していたという論文も発表されていますし、また、アメリカでは今シーズン、インフルエンザが大流行して、二千万人以上が感染し、一万三千人以上が亡くなっています。これがインフルエンザではなく、コロナだった可能性も捨て切れません。

篠田 二〇一九年のアメリカのインフルエンザ大流行は、通常の時期より早かった?

上念 だいぶ早い時期で、期間も長い。例年の三倍ぐらいの大流行だったんです。罹患者は二千万人とも言われ、死者が前年に比べ、桁違いに多い。僕はひょっとしたらコロナだったのではないかと思っていましたが、ここに来て、やっぱりあれはコロナだと考えたほうが論理的整合性あるのではと思っています。

篠田 ちょっとくらい早くやったとしても、結果的には手遅れだった。それを責めるのは、「感染症対策は人並みにはしたけれど、それでも防げなかった」という感染者を責めているようなもの。自衛隊のように厳戒態勢が取れていたら防げたはずだというのは、論理的には正解なのですが、普通の人の現実感覚ではちょっと難しい。実際、世界のほとんどの国で、これができていなかったわけですから。

世界は「封じ込め」から「抑制」の「日本型モデル」へ

篠田　繰り返しますが、封じ込め政策をとれたのはSARSの直接的脅威の経験がある国でした。早期水際対策を通じた完全封じ込め政策に国民も納得した。でもベトナムや台湾では、一時期、二十人増えたというだけで半狂乱になるぐらい。どうやってこのゼロベース思考をマネジメントしていけばいいのか……。ニュージーランドを筆頭に、太平洋島嶼《とうしょ》国でもゼロベース志向の国境閉鎖政策をとっている国々がありますが、感染者が少しでも見つかると、すぐにロックダウンしなければなりません。小国でないと、無理なアプローチではないかと思います。

日本も、かつては百人単位で増えると大騒ぎしていましたが、いまは多少の数では驚かない（笑）。それだけ経験値が詰まれてきたのはいいことです。ただ、そんな中で、どう人心の危機意識をマネジメントしていくのかが、課題になっています。

ヨーロッパなどでは、一日に感染者や新規陽性者が数百人単位などというのは日常茶飯事。千人を越えるとさすがに、という感覚が普通です。ＥＵ域内で完全に国境を開放しているだけではありません。七月からは日本人に対しても一切の入国制限をかけていません。かつての「封じ込め」を目指した政策を放棄して、「日本モデル」型の「抑制」政策に転換しています。

その後の夏以降の感染拡大局面では、ＥＵ域内諸国の間でもだいぶ違う様子になっています。ドイツは新規陽性者の発生もだいぶ抑え込めていますが、他国はそうでもない。しかし重要なのはそこではありません。ほとんどの欧州諸国で、三月、四月を大きく上回る数の新規陽性者が九月以降に出ていますが、死者数は非常に低いレベルに抑え込んでいます。高齢者・基礎疾患保持者の致死率が非常に高いということが広く知られるようになって特別な注意が施されていますし、医療体制も日本のような重症者中心主義の方針で、質の高い対応を施せているのだと思います。いわば欧州諸国は「日本モデル」路線に転換しているのです。

新型コロナ対策の最前線は、ＰＣＲ検査会場だけではない、それは病院であり、高齢者施設である、という意識が相当に浸透してきているのだと思います。

上念　アメリカも規模が違いますね。ニューヨークでは少し収まったかもしれませんが、九月以降また増えてきたようです。

篠田　世界最高数の死者と陽性者数を出しているアメリカの成績は、改善は見られてはいますが、欧州と比べても芳しくありません。もう少し素直に「日本モデル」路線の「抑制」政策をとるべきだったのではないでしょうか。テスト、テスト、テストと、とにかくやたらとＰＣＲ検査でウイルスを封じ込めようとする強引なアプローチですが、渋谷健司氏や小林慶一郎氏などの、世界的にも稀で特異な日本の言論人を除けば、このアメリカのアプローチに単純に魅了されている人は、もはや今日の世界にはほとんどいないのではないでしょうか。

橋下徹氏に記者会見進行役を

上念　その範囲の中でも神経過敏になり過ぎることもありますが、この政策の正当性を訴え、これからも遂行していくことをしっかり説明する。そしてその作業を、しかるべき落としどころを見極めてやっていくことしかありませんね。

篠田　「一日何百人」という数字で驚いて、「すわ、緊急事態」というのはいくら何でも過剰反応です。

旧専門家会議・現分科会の尾身会長という方は、いぶし銀のような魅力がありますね。味があって、水戸黄門の話を聞いているみたいに引き込まれます。ただ本当に話し方が上手いかと言えば、それはそこまでではないのかな、と思うときもあります。

また、押谷先生という方は、人前でしゃべるのがお好きではないのか、専門家会議が頻繁に記者会見を開いていたときもほとんど現れず、唯一登場した際は、「一時間で帰る」と宣言して、その通りに途中で帰ってしまいました。でも日本で最も重要な専門家と言ってもよい方ですからね。広報役までうまくこなしてくれと頼むのは、実際やりすぎでしょう。誰かが補佐すべきです。仕方がないので、私は、押谷先生が一時間だけ記者会見に出て発表されたことを英訳して、自分のブログに資料と合わせて掲載しました。海外の人に読んでもらうためです。それなりの反響を海外の人からいただきました。それくらい価値があったと思っていますが、押谷先生ほどの国家的財産を広報しないのは、日本にとっては、ちょっともったいない。

上念　押谷先生の場合は、しゃべるより活字のほうがいいかもしれません。雑誌『外交』にインタビュー記事が掲載されていましたが、あれは素晴らしかったです。

篠田　あの記事「感染症対策　森を見る思考を」（『外交』vol.61、二〇二〇年五月号）は、全国民必読ですね。あれを読まないで、日本の新型コロナ対策を云々している人は、絶対に許しません。あと複数の著者の一人としてですが、『ウイルスVS人類』（文春新書、二〇二〇年、押谷仁ほか）、『パンデミックとたたかう』（岩波新書、二〇〇九年、矢崎義雄編）、『医の未来』（岩波新書、二〇一一年、矢崎義男）、それからネットで閲覧できる押谷先生の学会資料など結構ありますが、押谷先生による専門家会議「新型コロナウイルス感染症対策の状況分析・提言」（令和二年五月二十九日）と「補論　我が国のクラスター対策について」は珠玉です。この資料は、私は英訳版を作ってブログに掲載しました。

こうしてみると、私はほとんど押谷先生の追っかけファンですね（笑）。ただ、そうはいっても押谷先生の単著があるわけではありません。押谷先生は、「研究の時間がなくなるから、これくらいで勘弁してください」というスタンスなのかもしれません。一方、岩田健太郎先生のように毎年何冊も本を出す方が、揚げ足取りのように言葉尻を捉えたピンとこない押谷先生批判を繰り返すのを見ると、残念です。岩田先生は知識が深く、臨床経験も豊富なのでしょうけど、予測が外れてばかり。公衆衛生は、大衆を扱う「政策」論で、難しいのでしょう。押谷先生と一般の国民の間をつなげる役割の人がいれば、もっとうまく機能すると思います。

上念 少し、芝居がかった人が必要なんですよね。そういう意味で言うと、橋下徹さんみたいな人とか、場合によっては山本太郎みたいな人。いまの閣僚だと河野太郎さんぐらいですかね。

篠田 例えば橋下さんに菅政権の期限つきアドバイザーになってもらえたら、すごい効果が出るでしょうけれども。押谷先生を度々記者会見に引っ張り出して、「今度は何時間いてもらえますか?」なんて制約することはできませんね。そんなことで摩耗して研究時間が減ったら、結局、国民の損失になるということもあります。コミュニケーションを担当してくれる専門家の方がいてくれたら。その部分が、「日本モデル」に一番欠けているという感がありますね。

2

「コロナ」騒動に踊る人たち

感染症の権威・押谷仁教授の功績

上念　リスクコミュニケーションの話で言えば、ヤフーに「コロナの感染症まとめ」というサイトがあるのですが、十月九日の数字で、累計感染者数八万八千三百六十八人に対して累計の退院者数は八万千二百九十五人です。亡くなった方は千六百二十四人。単純計算で差引き五千四百四十九人が入院している計算です。人口十万人当たりの死亡者数は一・二八人です。（参考：ウイルス性肝炎による十万人当たり死亡者数は三・九※）こういう数字は、きちんと報告してほしいと思います。

※出典　https://www.mhlw.go.jp/toukei/saikin/hw/jinkou/geppo/nengai13/dl/h6.pdf

感染者数が上がり始めた時期にも、例えば五日間で増えた人数が千四百人で、退院した人も千四百人という時期もありました。両方を報道しないで一方的に感染者だけ右肩上がりに増えているといった報道は、大いに問題がありますね。

篠田　私はずっと「日本モデル」という言葉を使っていますが、日本は日本なりに、現実の中でできることの最適解を見つけてきた、ということは強調したい。専門家会議が招集されて、押谷先生や尾身先生が参加するようになり、その後二月十九日、内閣府の感染症対策本部で総合的な対処方針が打ち出された時から、日本の新型コロナ対策の目標は、「抑制」して管理するというものです。ウイルスを撲滅しようとして右往左往しているわけではありません。だから新規陽性者がいなくなることはありませんが、新規陽性者数が退院者数を上回らないようにも管理してきているのです。

すでに申し上げた通り、「封じ込め」が不可能だと洞察したうえで、感染力が高いが致死率は低いという新型コロナの特性に応じた「抑制」政策をとるべきことを提言したのは、感染症の専門家である押谷先生らの洞察によるものです。それなのに、まだ解明されていない不思議な力が働いたとか、偶然が重なったにすぎないとか、素人が偉そうなことを言うのは、やめたほうがいい。それから「日本特殊論はダメだ」もナンセンスですね。

どうも日本には根深い欧米中心主義があって、三月、四月の頃のアメリカとヨーロッパの死者数と日本の死者数があまりにも違うので、日本は特別だ、日本は集団免疫を獲得した、その他ありとあらゆる「仮説」が披露されたことは確かです。ですが、世界全体の感染状況を見ると、当時の欧米諸国の致死率こそが異常でした。日本の致死率が特別に低かったというよりも、欧米諸国の致死率が異常に高かっただけです。それは夏以降の欧州諸国の政策的努力を通じた致死率の改善によって証明されていると思います。このことは私はブログ記事等で何度か書きましたが、毎日更新されている世界情勢がわかる便利なデータはありますから、単にそれをチェックすればいい。

（たとえば、https://www.worldometers.info/coronavirus/）

なぜ「仮説」に走るかというと、ほとんどの科学者の頭の中には、欧米諸国と日本を比べる発想しかないからです。日本の科学者の頭の中では、アフリカなどは存在していないに等しい感覚しか持っていないようです。これに対して、押谷先生は、すでに二月中旬の段階で、はっきりとこのウイルスは感染力は高いが、致死力は低いと洞察され、それにそった政策をとるべきことを提言されていらっしゃった。素晴らしいことです。押谷先生は、ＪＩＣＡ（国際協力機構）専門家としてザンビアで勤務したり、ＷＨＯ感染症対策アドバイザーとしてフィリピンでＳＡＲＳ対応にあたられたりしたご経験をお持ちですから、他の科学者の方々と一味違う視野をお持ちなのでしょうね。研究室の空論の「仮説」を考え出すために頭をひねっている暇があったら、われわれ日本人は、押谷先生のような本物の感染症の専門家が日本にいたことを祝福し、感謝すべきです。

上念　それは先ほど述べた二〇〇九年のメキシコ豚インフルエンザの経験に学んだのだ

と思います。あのときの日本の十万人あたりの死亡者数は、他国と比べて桁一つ下です。〇・何人というレベル。それに対してアメリカは三人、欧米平均が一・五〜六人なのですが、日本はそれを軽く下回った。

実は私は、一月二十三日の武漢閉鎖の時点から押谷派です。それを「虎ノ門ニュース」などで発表するとバッシングを受けましたが、結果的にはもう手遅れだから、止めても遅いと言い続けてきました。中国からの入国者をシャットアウトしても、すでにアメリカから入ってきている、そしてハワイ経由で入ってきてしまった。だから、いまさらそれに注力するのはポーズでしかないと。その前に、武漢からの渡航をストップさせていて、それで十分だったんです。あの時点では中国以外には蔓延していなかったですから。

実際に、中国からの渡航者のゲノム解析をした結果、中国からの分のウイルスについては三月上旬ぐらいまでには、もう抑え込みに成功していたのです。その後、欧米から入ってきたのですが、最初から封じ込めできる段階ではなかった。押谷理論で正解だったわけです。

篠田　「封じ込め」を放棄していると言うと、ネガティブに響くかもしれません。管理は必要なので「抑制」管理派、あるいは「重症者防止中心主義」と言うべきですね。それでも煽り系左翼の人は、「終息していない！」とクレームをつけてくるのかもしれませんが、非武装中立論と同様に、無視するしかありません。

上念 そもそも「封じ込め」を目指したこともない。だから、やらなかったということです。

「PCR五十四兆円利権」に群がる人たち

上念 論理的な筋道を考えようともせずに、「何でやらないのか」と一方的に批判を浴びせる、それは「危機を煽りたい人たち」の常套手段ですね。具体的には、児玉龍彦氏。

篠田 児玉氏、渋谷健司氏、上昌広氏。いずれも立憲民主党シンパになっている。

上念 「新デ●トリオ」と僕は名付けています。もともとデ●トリオは、上昌広氏、それから岡田春恵氏、池袋大谷クリニックの大谷義夫氏だったんですが、大谷氏は僕が撃墜した結果、テレビ出演がなくなっていきました。岡田春恵氏は渡辺エンターテイメントに行ってタレントになってしまった。上昌広氏は、いまテレビには出られないんですけど、陰でゴソゴソやっています。

篠田　大谷さんを、どういうふうに撃破なさったんですか？

上念　でたらめなことばかり言っているので、「何でこんなの出すんだ」と、ネット上で相当叩きました。

篠田　その後出て来ないですね。

上念　「ＰＣＲ検査が受けられないのはおかしい」と騒いで、陰圧室《いんあつしつ》（感染症にかかった人用に病院が確保している部屋）もない自分のクリニックで検体採取しようとしていました。明らかに厚労省のガイドライン違反であり、二次感染のリスクがあります。その点を指摘したらテレビ局もまずいと思ったらしく、彼を出さなくなりました。

篠田　デ●という言葉が過激なら、やはり「煽り系」でしょう。私はほとんどテレビを見ない人間なのですが、雑誌記事を書く際に、仕方ないから岡田さんの動画を集めて見たのですが、「コロナの女王？　これがなんで、毎日テレビで放映されているのだろう？」と疑問しか浮かばなかった。動画を見ることで自分の貴重な時間を使っていることに、がっかりしましたね。

それから医学界を離れたところで目立った動きとして、鹿島平和財団で行われていた研究会の枠組みを使って、「全国民にＰＣＲ検査を施そう、場合によっては五十四兆円ぐらいかかるけれども、経済のためには必要な経費」などと言って署名運動をしていた人たちがいましたね。

上念　へえー、知りませんでした。例のPCR五十四兆円利権ですか？

篠田　そこにA氏という財務省／防衛省系の実力者がいて、いろいろな人間関係図があって、渋谷健司氏も当初からの呼びかけ人ですね。分科会（旧専門家会議）に入った東京財団政策研究所研究主幹の小林慶一郎氏も、当初の呼びかけ人でした。旧専門家会議に経済学者の代表として入ったときに、こっそり名簿から名前を抜きましたけどね。旧専門家会議から分科会にかけて、ずっと全国民PCR検査みたいなことを主張し続けている不思議な経済学者ですね。何を考えていらっしゃるのか。

上念　小林氏は筋金入りの増税派で財政破綻論者なのにね。

篠田　消費税三〇％でも足りないと発言していた増税論者が、五十四兆円という国家予算の半分以上もの金額を使ってPCR検査を拡大することを提唱している。どういうことなのでしょうか？　どこか奇妙で怪しいですね。PCR検査を国民全員に、しかも毎週実施となると桁違いの予算が必要。どこが管理業務を担当するのか、もめないようにするには大変だと思いますけどね。そういえば小林慶一郎氏は、ニューヨーク州は、P

ＣＲ検査をたくさんやって新型コロナを封じ込めた、といったことをテレビで言っていたそうですね。ニューヨーク州が、人口一人当たりで、一日の死者数・新規陽性者数で、日本や東京の水準を下回ったことはありません。ずっとロックダウンをやっていてだいぶ減らしたのは事実ですが、その時点で一日あたりの新規陽性者数が七百人を下回ったことはありません。経済活動をようやく戻し始めたら、案の定、十月に入って増加傾向に戻ってしまいました。小林慶一郎氏は、いったい何を根拠にこんな無責任な発言を公共のテレビなどをつかって垂れ流したのか。何が小林氏の目をそこまで血走らせてＰＣＲ検査に巨額予算を付けることに奔走させたのでしょうか。

上念　鹿島平和研究所のＨＰでは「一日一万件、一千万件検査」と書いてありますね。

篠田　それで五十四兆円かかる。ほんとうにそれが実現可能なのか？　いいことなのか悪いことなのか？　医者はそれで本当にいいのか？　という話です。

上念　確かに渋谷健司氏も署名に名前を連ねていますね。スマートニュースの瀬尾傑《まさる》さんとか、あと青山社中株式会社代表ＣＥＯ（最高財務責任者）の朝比奈一郎さん。増税派経済学者・小黒一正さんの名前もありますね。

篠田　私と親しい国際政治学者の方々も、最初は名前を出されてしまったらしいのです。

でも最初の二時間ぐらいに、「ほんとうに署名活動に参加してるの?」と私がメールしたら、名前が外れた。「私の言ったことを気にした?」と問いかけたところ、「いや篠田さんだけでなく、他からも言われたから。安全保障研究会での付き合いがあったので、いったんは承諾したんだけど、内実はよく知らなかった」と。そんな形で、よくわからないうちに名前が入っていて、一日も経たないうちに名前を抜いた方々が複数名いたということで、業界の話題になっていました。

上念 そういうことだったのですか。

篠田 本質は、とにかく金がかかるし、誰がその金使う? というところに落ち着くようです。そこでいよいよ経済学者の出番なのでしょうか? それに公衆衛生分野とはいえ感染症とは全然関係がない産婦人科医の資格やその他の謎の肩書の大学教員の渋谷健司氏のような人がからんできて、「俺に仕切らせろ」みたいな話にならないか心配です。

上念 なるほど、どこの世界にも自分のポジションに固執する人間はいるものですね。

尾身・押谷ラインに敵対する医学部本流

篠田　なぜ感染症の専門的な業績もない彼らが、真の専門家である尾身・押谷ラインに批判的な動きをしているのか。新型コロナによって政府からの研究費などの流れが変化することを見越しての言動ではないかと勘ぐりたくなります。

感染症というのはどちらかというとマイナーな分野で、〝医学部本流〟の儲かる分野ではなかった。医学系の方々の研究費は数億円単位が普通で、実力と予算を比例的に考えるような発想が強いようです。政府批判を繰り返している元都知事の舛添要一氏が「感染症は医学部の中で人気がない、優秀な学生は感染症分野には進まない」とか言っている記事もありましたね。舛添氏は、上昌広氏と近いようですが、血液・腫瘍《しゅよう》内科学が専門の上氏は感染症分野が気になって仕方がないらしく、「資金と情報を独占する『感染症ムラ』」といった内容の記事を大量に書き続けています。

尾身先生や押谷先生は、感染症のスペシャリストであるとともに、ＷＨＯの西太平洋事務所でＳＡＲＳ対応に当たった実務経験を持つ本物のプロフェッショナルです。尾身先生・押谷先生の権威があればこそ、前に述べたように、二月下旬の段階で「もう封じ込めはできない」と、自信を持って語ることができたのでしょう。一人の日本国民として言いたいのですが、この成功モデルを崩してはダメですよ。旧専門家会議が分科会に衣替えをした際、私は本当にハラハラしていました。西村大臣が、電話で渋谷健司氏の教えを受けたとかという内容のツィッターをしたからです。「おいおい、ここまでうまくやってきて、それで何もかも台無しにする気なのか？」と心配になったのです。幸い恐れていた事態は起こらず、無事に尾身・押谷ラインが維持されたまま分科会が立ち上がりましたから、とても安堵しましたが。一時はどうなることかと思いました。それにしても旧専門家会議と分科会の中に、東京大学とか京都大学の人がいない点は、指摘しておいてもいいかもしれませんね（笑）。

上念　ああ、学閥間の争いですか？

篠田　尾身会長は自治医科大学、押谷教授は東北大学。分科会には東大の武藤香織教授も入っていますが、彼女は大学院から東大ですし、生命倫理が専門の保健学者です。対する上昌弘さんや渋谷健司さんは、東大閥の人ですよね。しきりに何か批判的なことをおっしゃっている、ノーベル賞を受賞した方も、ちょっと……。

上念　京都大学iPs細胞研究所所長の山中伸弥教授。

篠田　彼に関しては、「私は専門家会議を補強する役割」と表明すれば、まったく違ったのにと思っています。日本循環器学会が企画した西浦博教授との対談で「対策を講じなければ、いまからでも十万人以上の死者が出る可能性がある」と発言しましたが、京大も専門家会議にメンバーを送り込んでおらず、むしろ反専門家会議の言動をする人が目立ちますね。

京都大学ウイルス・再生医科学研究所准教授の宮沢孝幸先生は、経済系の藤井先生という人と一緒になって「半自粛」の主張でメディアで脚光を浴びました。同じ事を言うのに、やはり専門家会議を側面から助けたい、というやり方もあり得たのではないかと思うのですが、実際には専門家会議を批判する姿勢で主張をなされた。

上念 経済系というのは、藤井聡さんですね。

篠田 藤井先生の専門家会議批判とされるものは、実際には「西浦モデル」批判です。尾身・押谷ラインの「日本モデル」を勘違いしている。私は「半自粛」とは、専門家会議の通りにはできないと思う人に対して、「まずこれだけ気をつけましょう」という意味で専門家会議の補強意見だと考えればいいものだと思うのですが、京都大学の方々は、完全に〝反専門家会議〟の趣き。それが吉村洋文大阪府知事にまで飛び火して……。

上念 〝イソジン会見〟で「うがい薬を配ればいい」なんて発言してしまった。日本維新の会という政党は、選挙の直前に必ず舌禍事件を起こして、支持率を自分で下げちゃうんです。以前は、橋下徹さんが慰安婦問題に関連して「戦争時の軍隊に慰安婦制度は必要だった」なんて発言をして、二カ月後の参院選で票を伸ばせなかったんです。

危機を煽る人たちはなぜ左翼的なのか

篠田　押谷先生は東北大学出身で、東北大学のことを誇りに思っておられるようですね。「自分は東北大学で育てられたし、実は感染症に東北大学は強いんだ」と。すがすがしいです。しかし、私はかなり筋金入りの本格的な押谷ファンですね（笑）。

これに対して、東京大学や京都大学の雰囲気は、さきほどの舛添氏の引用のようなものらしいです。そういう雰囲気だから、感染症の専門家が他大から育ったのは当たり前だと思うのですが、応援したり補強したりしないで、批判ばかりしていらっしゃるのは、残念な構図ですね。あろうことか、そこに日ごろから東大法学部系の憲法学者との付き合いを自慢げに披露する枝野幸男氏を党首とする立憲民主党の人たちが近づいて、政府批判の便乗商法を狙っている。ここ数年、東大系の憲法学者の批判をしてきている私としては、看過できない図式になってきたぞ、と感じているわけです。

上念　先ほどの賛同者のお名前の二人、朝比奈さんも瀬尾さんも両方とも東大出身ですよね。偏差値の高い人が集まっているな、と思いました（笑）。

篠田　このままだと、感染症のほうに研究費が大幅に回るという危機感を煽っているようにすら見えます。東大医学部は、東大の中でも、灘、開成、筑波大附駒場など特定高校の占有率が高いことで知られていますが、独特の世界なのでしょうね。東大の中でも、医学部はもっとも偏差値が高いですからね。

上念　だからか、手先が不器用で手術が下手くそだなんていわれていますよね。

篠田　灘と開成は手先が不器用なの？（笑）

上念　巷間言われているのは、東大出身の医師は手先が不器用だから手術が下手くそ。それを知っている人は慈恵医大などを選ぶ（笑）。

某総合病院の院長に聞いた話ですが、この病院にインターンでやって来て、そのまま出社拒否のような状態になって、引き籠ってやめてしまう人の中に東大、京大、慶應出身の割合が圧倒的に多いそうです。採血が下手で看護師に怒られたりすると、それで凹んで、もう立ち上がれなくなってしまうそうです。

篠田　渋谷健司氏のように演説上手で、まくしたてるように話す人もいますが、よくよく考えると、本当にそうなんだろうか？　と首をかしげざるを得ない場合もありますね。机上の空論なのか、それともとてつもない理論派なのか？

上念　彼は、東京でのコロナの死者数が隠蔽されていると語っていましたね。「日本のコロナの死者は隠されている」と。その説に従って千人もいるとなると、死者を東京湾や富士の青木ヶ原樹海に捨てなければならなくなってしまう……。

篠田　（笑）

上念　それについて、テレビ公開捜査ならぬ、ユーチューブ公開捜査をやったんです。「ご存知の方、情報をお知らせください」と頼んだのですが、反応はありませんでした。

篠田　「現実のほうが間違っている、俺の言う論理が正しい」とか、「絶対にどこか間違っているところがあるはず、誰かが隠蔽しているはずだ」と、真剣に信じているのでしょうね。

上念　そういう思考は、左翼の人に多いですね。

篠田　そうそう。典型的な九条護憲派か、左翼思考的な発想法なんですよ。いまの言い方をすると、非現場主義で理論派というのかモデル思考型で、臨床医には受けないタイプの言説ですね。あなたは正しいと思っているかもしれないけど、実際に私の目の前にはそれはない、というのが現場の人の感覚ですよね。

上念　逆に言うと臨床医としては全然通用しない人が、臨床医とまともに戦ったら勝てないので、そうやって徒党を組んでいる。しかも政治運動の真似事をしていて、その手法が極めて左翼的だということなのではないかと、僕は思います。

陰湿でドロドロな医学界の〝闇〟

篠田　ご存知の通り、私は憲法学の本を何冊か書いています。ときどき一部の憲法学者の方とは話をします。「おい、私と篠田さんが一緒にいる写真を撮ってSNSに投稿したら絶対ダメだぞ」とか同席者におっしゃってもらいながら、話します（笑）。

　すると、「いやいや篠田先生、あと十年すると、宍戸常寿《じょうじ》先生の時代が来ますから」などと話してくれます。宍戸常寿先生は、現在の東大憲法学の教授の方です。同じ憲法学で東大教授の石川健次先生よりもお若いですね。ただ性格が全然違います。そういう情報は、とても重要ですね。憲法学者の世界は、師匠の時代くらいからの人間関係がわかっていないと見えてこないところが多々ありますから。

　憲法学でさえ学閥を基盤にした人間関係が重要という状態なのですから、医学の世界はもっとドロドロしているのではないでしょうか。新型コロナの大きな衝撃を、医学部系の白い巨塔の人たちがどう受け止めているか、その問題が背景にあると思います。

上念　結局、豪族の反乱なんですね。でも尾身・押谷教授や武藤香織先生など、〝お歴々〟ではない方々からの意見のほうが真っ当だと思えます。

以前、コロナ制圧タスクフォースとほとんど同じ内容のプレゼンを、慈恵医大の外科部長が、自民党に提案したことがありました。慈恵医大はとても臨床医療に強い学校で、手術が上手。「がんになったら慈恵に行け」と言われるくらい。そういう、お歴々ではないところからの反乱という意味で、とても興味深い事例です。

篠田　そのあたりは、今後、もっと深く調べてみたいものですね。憲法学会も極めようとしたら、姻戚関係まで把握しないと、人間関係がよくわからないところがあるんですよ。

研究室の関係というのは、要するに親子関係のようなもので、何から何まで、面倒をみます。憲法学のような伝統的な法学部であれば、助手採用試験を通れば、二十五歳くらいで都立大学や旧帝大などの准教授に就任します。もちろん偉い東大の先生の推薦があればこそでしょう。この人事システムの力はすごいですよ。ちなみに私の最終学位は「London School of Economics and Political Science」、普通はＬＳＥと呼ぶ大学院大学の博士号（Ph. D.）です。LSEは、社会科学分野の大学ランキングでハーバードに次いで世界二位です。苦労して留学して学位をとりましたから、私は誇りに思っています。ところが憲法学者の方は、「篠田は東大にルサンチマン（怨恨）があるから、（東大出身者が中心になって守っている）憲法学通説を批判するのだ」などといったことを言います。憲法学者の方々にとっては、LSEの博士号など何の価値もなく、それよりも二十五歳で植民地大学の准教授に就任することのほうが偉い、それがわからない奴がいたら、学歴コンプレックスでひがんでいるだけだ、と本気で信じていらっしゃるようです。医学部の世界はどうなのでしょうかね。

夫婦間の忖度はあったのか？

上念　〝八割おじさん〟の西浦先生は、いかがなんですか？

篠田　西浦先生は専門家会議の正式なメンバーではなく、尾身先生や押谷先生のコミュニティとまた違うラインです。尾身先生や押谷先生が話されているのを見ると、やはり現場系の方だな、と感じます。お二人が素晴らしいのは、社会「政策」感覚をもって公衆衛生を語っていらっしゃることです。経験値で物事を積み重ねる思考が顕著だと感じます。

それに比べ、西浦先生は、世界中から感染症数理モデル研究者が集まるインペリアル・カレッジで在外研究をした、というアイデンティティが強いのではないか、とご本人のインタビューなどを読むと感じます。これは大きな違いですよね。クラスター対策班で招集されながら、実は正式な専門家のメンバーではなかった西浦先生の位置づけは、難しいものでしたね。しかもSNSでたくさんの情報発信をしたりして、数多くの西浦先生の「ファン」と呼ぶべき人々が生まれた。西浦先生も、コロナ禍の中、びっくりするような頻度でツイッターの質問に回答したりしていた。おそらくそうした発信を通じた社会運動に関心があって、メディア露出度も高いのでしょうね。西浦先生が特殊なのは、奥様が厚労技官だということです。上昌広氏が「『医系技官』が狂わせた日本の『新型コロナ』対策」とかの記事でいろいろ書いてますね。

上念　医系の技官ですか？

篠田　はい。ご夫婦で、厚労省の中で仕事をしていたということになります。

上念　ほおー、姻戚関係ですか。

篠田　医系技官とは、医師免許を持っているキャリア官僚のこと。研究費の配分に力を持っていて、特に「厚労科研」と呼ばれる厚生労働科学研究補助金の運用に、医系技官の影響力が働くと言われているそうです。数千万単位、ときには億単位の予算が降りてくる。これは厚労省の裁量次第なので、それが欲しさに、みんな厚労省に楯突かないとかいう記事を読みました。今回、クラスター会議に参加する際に、西浦先生は「給与はもらわない」といったそうです。西浦ファンの人は美談のように語っていましたが、その気持ちはよくわかる。日頃から、「あなたの奥さん、技官なんでしょ?」と言われていたら、もらえないですよね。奥さんが医系技官だということになると、「彼に研究費が回るはず」という考えが生まれてしまう。純粋に、もらわないほうが無難ということだったのでしょう。ちなみに西浦先生の奥様の柏木知子氏の博士論文は、「住民に普及啓発すべき感染症」というものですが、ご夫婦で社会発信に関心があったのでしょうかね。

報復が怖くて逆らえない医学界の構造

篠田　押谷先生が、あまり表に出たがらないのも、出世欲や金銭欲とは無縁なタイプだからなのではないでしょうか。研究で世の中に貢献したいという純粋な気持ちをすごく感じるので、私は押谷先生のファンです。押谷先生が「一時間で帰る」と早々に会見を切り上げてしまうのは、単に人嫌いというだけではないような気もします。私に言わせれば、国家の命運を分けるような立場にある大変な重要人物ですからねえ。大変に僭越ながら、私のような一匹狼タイプは、押谷先生の雰囲気には魅了されます（笑）。

上念 そうですね、医学系は資金や予算が半端じゃありませんし。文系の研究分野なんかは、お金にまったく縁がないでしょうね。

篠田 いくら喧嘩しても、これで来年の研究費が一億円減らされるということはない。せいぜい法学部図書館に入れる全集をめぐって鍔迫《つばぜ》り合いをするくらい。ある大学の法学部で、民法と憲法の先生が結託して、国際法の資料を学部図書館に置かせないようにしているのを国際法学者が恐れている、なんて話を聞いたこともあります（笑）。けっこう切実な話です。

上念 ショボいですね～（笑）。

篠田 でも医学系は、桁違いのお金を動かしていますからね。まあ、人の生死に関わる世界ですから。真面目に調べると、本当に誰かに刺されて死ぬかもしれません（笑）。

本来であれば、尾身先生や押谷先生を守り、盛り立ててくれる東大出身の方や京大出身の方がいらっしゃると、安定するのでしょうけれどもね。そこはなかなか、大変なのでしょうね。

医学界も東大憲法学も病は同根？

上念　篠田先生の人脈解明図は、とてもすごいですね（笑）。

篠田　いやいや、勝手なことを言っているだけです。ただ、上昌弘先生や渋谷健司氏が、尾身先生や押谷先生を盛り立てる活動をするといったことは、もう想像できないですね。

上念　まあ、あの方たちを入れようとは思わないですよね。

篠田　また憲法学の話をしましょうか（笑）。東大では宍戸常寿先生と石川健治先生という人が憲法学講座を主宰しています。樋口陽一先生のお弟子さんが石川先生で、完全に九条護憲派というか、少し原理主義者のような傾向がある方。一方の宍戸先生は、九条については議論せず、実務家に近いテーマを取り上げていくタイプの方ですね。

あの分野では、誰が一番偉いか、そのバロメーターは、有斐閣発行の『ジュリスト判例百選』の選者が誰かで決まるそうです（笑）。『判例百選』を選ぶ編者に宍戸先生が入ってから、また様子が変わったという話を聞いたことがあります。

上念　では誰が偉いかは、有斐閣が決めているんですね。

篠田　そう（笑）。まあ、もちろん有斐閣は「先生方に学会動向を見ながらご議論いただいて決めていただいています」、みたいな感じでしょうけど。

上念　有斐閣、すごい力を持っていますね（笑）。

篠田　空気ですよ、空気。だから私も『判例百選』の編集者陣の名前の変遷を見て「空気」をはかります。

上念　なるほど。

篠田　私は、『憲法学の病』という著書の中で、「なお私が批判する対象に宍戸常寿先生は入っていない」と注にはっきり書きました。その後、宍戸先生に直接お会いしたときに、その注のことをご存じであることを確認しました（笑）。

上念　宍戸先生は、ちゃんと読んでいるんですね（笑）。

篠田　注として、ごく小さな字で記述してあるだけなんですけどね。「宍戸先生は篠田にお世辞でも言ったのですか?」と誰かに言われた、とおっしゃってました。

五年後か十年後に宍戸時代なるものが来たときに、何がどうなるのでしょう。ある憲法学者曰く、「変わらないものもあるけれど、総じて変わりますよ」と。当たり前じゃないですか(笑)。「つまり、どうなるんですか?」と聞いたら、「それについては、私も日々考えています」みたいな答え(笑)。難しいですねえ。

医学部のように億単位のお金が動く世界では、またちょっと違う世界があるのでしょうけれどもね。自民党が日本医師会との結びつきが強いことも、さらに複雑ですよね。時々、自民党の政策が迷走するのも、これと大きな関係があるのではないかと思っています。

上念 その結果、長期展望がなくなっていく……。

東京都医師会と結託した小池都知事の魂胆

篠田 新型コロナ問題で、医師会はときに政府の対応を痛烈に批判します。「いまは危機的状況にある」など、「そこまで言うか」と思うことがあります。

上念　あれは東京都医師会ですね。おかしいし、わざとらしい。重症者百人と二十人では八十人も差があるのに、「二十人でも危機的状況である」というのは、さすがに言い過ぎだと思います。八十人のバッファは、何のためにあるのか？

篠田　日本医師会は、尾身・押谷ラインを尊重していないのでしょうか。東京都医師会も学閥とかいろいろとあって、会長選挙のときとかもすごいらしいですけどね……。

上念　それに小池百合子都知事が便乗した形ですね。東京都医師会の尾崎治夫会長は、小池知事ばりに資料をカメラの前に掲げ、「例えば十四日間くらい休業してもらえば、そこで感染は理論的にはおさまるはず。その間にきちんと地域の検査能力を結集して、一斉にＰＣＲ検査を行う」などと訴えていました。

この主張が、危機を煽って〝やってる感〟を出したい小池知事の思惑と一致した。ジャーナリストの石橋文登さんは、「小池知事は政府と対等な立場に立とうとしている」と分析していました。直接、政府とバチバチやりたいけど、安倍首相は尾身・押谷ラインなので、相手にしなかった。

なぜ対等な立場に立ちたかったかと言うと、都知事選を控え、今後の身の振り方を考えてのことだったのでしょう。ですから、カウンターパートで安倍首相に出てきてほしかったのですが、安倍さんはそれがわかり切っているので「西村、お前が行け」と、相手にしなかった。そこで安倍さんをなんとか引きずり出すために、わざと政府を批判する。それが、東北大学がメインになっている分科会が気に入らない東京都医師会の思惑と一致しました。野合ですね。

しかも「いまはコロナの緊急患者のベッドは満床ではないが、将来の不安に備えて」なんて言い出した。「だから余裕があるとは限らない」という理屈は、「ではいまは余裕があるんですか、ないんですか？」と聞きたくなるほど。意味が通らないですよね。

篠田 上念さんのお知り合いで医療系ジャーナリストの方がいらしたら、この問題をぜひ詳しく取り上げていただきたい。

上念 伊藤隼也さんは任ではないですよ、上昌広氏の仲間ですから。

篠田 いろいろ色がついたり呑み込まれていたり、「いや実は」みたいな人がたくさんいると思いますが、みんな、私以上には知っているはずだと思います。

上念 コロナ禍における役割として、小池都知事はどういう位置を占めていますか？

篠田 小池知事は、広報官としての存在感があるんじゃないですか。やはりヤフーニュースになるキャッチフレーズを編み出すのがうまい。少なくとも永田町にいる人より、うまくやっている感じはありますね。

熟女おばさんと八割おじさんの名コンビ

上念　吉村大阪府知事が一番うまかったんじゃないですか、そういう意味では。

篠田　吉村さんもうまかった。政治家の中では彼だけじゃないですか。プロセス管理の発想で有権者に説明をしていたのは。でも、うがい薬発言など、勇み足の場面はありましたね……（笑）。

上念　「K値」からおかしくなって、うがい薬でとどめを刺された感じですね。

篠田　「K値」ねえ、大阪大学教授の中野貴志先生が考案された指標ですね。過去一週間の類型感染者数の増加率を、今日の感染者数を基準として数式評価したもので、彼は時間の経過とともに安定的に推移し、収束に向かっていくと言っていたけれど……。

上念　「日本では感染収束に向かって順調に進展している」「このまま順調な推移が継続すれば、五月中旬には感染収束宣言が出せるレベルまで達する」と予測した。でもその時期になっても収束はしなかった。

篠田 収束しつつあるのだから、緊急事態宣言を継続して経済活動を制限し続けることのほうが害が大きい、ということだったようですね。私には中野先生という方がなぜあれを熱心に予測に使おうとしたのか、推し量りかねました。無理でしょう。私はブログなどでも「K値」については一度もふれたことはありません。ただ、吉村知事にとっては、「うがい薬」のほうが大きなインパクトがあったかもしれません。

上念 新型コロナ対策として市販のうがい薬を示し、「発熱者や接待を伴う飲食店関係者は使用してみたら」と呼びかけた。でも「どんな分析からそう言っているんですか?」と突っ込まれ、「予防薬でもないし、治療薬でもない」と腰砕けになってしまった。本当に感染拡大の武器になると思っていたのでしょうか?

篠田 そのあたりは、小池都知事のほうが一枚上手。百戦錬磨ですからね。ですからその手の失点はしない。酷評された場面も、ああ結局ご本人はテレビをお茶の間で見ている高齢者に向けて計算済みでやっているのかな、という感じのことが多かったですね。吉村知事は熱血漢で、それが人気の秘訣。でもそれだけに猪突猛進型のところが出てしまうときがある。吉村知事ご本人は「いまはこういうときだから」とあえて踏み込む場面も、小池都知事ならもう少し老獪《ろうかい》に振る舞う、という印象はありますね。

上念　でも、アナウンスするだけで、自分では何もやっていないんですが。
篠田　そうですね、小池都知事は、意外に評論家的な立ち位置をとる。ではそれで、状況を正確に把握しているのかといえば、あまり把握しているようにも見えない。政治学的に見ると、彼女のように広報系の役割が秀でている人の場合は、参謀役できちんと状況把握をしている人を側に置ければ、みんな安心するのですが、いまはいないように見える。そこが一番強く感じる点です。
上念　一時、小池知事は西浦さんと悪魔の野合のような形になりそうになったのですが、結局、西浦さんを追い出したみたいですね。
篠田　どういう経緯なんですか？
上念　いや、僕も全然わからない。突然、いなくなりましたね。評判が悪くなったからじゃないですか。
篠田　「熟女おばさんと八割おじさんの名コンビ」などと評されました。とても仲が良さそうだったですけれどもね。
上念　理由はわかりませんが、小池さんはそうやって「可愛い、可愛い」とやって、使えないとなるとすぐ切り捨てることで有名な人ですから、いつもの病気かもしれません。

いまこそ西浦さんと、組めばよかったのですけどね。

篠田　政策論的にそれを説明すると、小池さんは「東京アラート」というのを解除するまで、都民を脅かしていた時期があったんですよ。吉村知事の言い方と比べるとはるかに強い口調で「脅迫路線」をとった。それで西浦先生が重宝されたのだと思います。脅かす席に西浦先生と一緒に現れると効果が高い、という計算ですね。西浦先生が「これです」といって「えー、すごいですね西浦先生」と熟女おばさんがやると、みんな、何かよくわからないけれど大変そうだ、と納得する。そんな名コンビだったのに、ぷっつりやめたのは、脅かす姿勢を捨てたからです。でも状況次第では、そのうちまた一緒に現れるのではないですか。小池都知事にとっては、西浦先生は、一つのカードですよね。

上念　七月の都知事選挙ですね。その直前まで〝自粛〟を要請し続けると、「小池がいる限り営業できないのか」となって、票が減ってしまう。その証拠に、選挙の前までに東京アラートも解除したじゃないですか。都の広報予算を九億円も使って、テレビや新聞に出まくって感染症の広報だけやって。それで選挙のときは三百六十万票も得票したのですから、選挙前に西浦さんは用済みだったということですね。

篠田　選挙直前まで「東京アラート」で引っ張って、選挙にうまく軟着陸した。それはいいとして、その演出後のシナリオはなかったのでしょうか?

上念 ありませんね。彼女は常に付け焼刃の人ですから。

篠田 私はブログで三月頃に新型コロナについて書き始め、いままで五十件以上書いてきました。最初は混乱する世界情勢の中の「日本モデル」の登場に興味を持って、「三密の回避」って何なんだろうと思って調べて、押谷先生に魅了され始めました。緊急事態宣言の時期の四月から五月頭には「西浦モデルの検証」というシリーズ名をつけて、一カ月強の間に十回書きました。プロセスのモニタリングをする意図だったのですが、着眼点として西浦先生のお話を枠組みにするのが重要だったので、「西浦モデルの検証」ということで、ずっと書き続けさせていただきました。

私は緊急事態宣言に突入した四月上旬にすでに「新規陽性者数の増加は鈍化している」と書きました。私が書いた文章は全部『アゴラ』さんに掲載してもらった記録がありますので、確かめてほしいですね。ところがその後の四月十五日に西浦先生がマスコミを集めて「四十二万人死ぬ」の記者会見をやったので、私はちょっとカチンと来ました(笑)。

緊急事態宣言は「医療崩壊を防ぐ」ために行ったものです。安倍首相は記者会見ではっきりそう言っていました。「医療崩壊」というのは、新規陽性者数の増加率だけで決まるものではなく、医療体制の準備の度合いで決まりますから、緊急事態宣言の導入が妥当だと尾身先生たちも判断されたということは、決して専門家会議が「四十二万人死ぬ」と考えていたということではありません。それは当時の記者会見でも説明されていたと思います。後に押谷先生は、自分は西浦先生の「四十二万人死ぬ」記者会見に反対していて直前に西浦先生に電話したが出てもらえなかった、と述懐しています。煽り系専門家や知識人の方々から「生ぬるい」などと批判された緊急事態宣言でしたが、その結果は、「日本モデルの底力を示した」と安倍首相が最後に述べたような成果を出すものでした。管理されたプロセスで狙い通りの成果だったと思います。ところがもう過去何年もずっと「アベ政治を許さない」を言っている方々は、安倍首相が何を言っても聞く耳を持たない。安倍首相がきちんと説明していることも「プロンプターを使っていた、そんなものは本当の言葉ではない」とか全く意味不明なケチをつけて、聞くこと自体を拒絶した。三流コメンテーターだけでなく、大きなメディアの記者の方々までそういう態度でしたから、まずもって無責任極まりなかった。「おい、まず人の話を聞いてから話しましょうって学校で習わなかったのか?」と、私は言いたかったですね。

ただそういうメディアの態度の背景には、西浦先生の「このままでは四十二万人死ぬ、人と人との接触八割削減だけが唯一の方法だ」という教えを世界の真理として受け止めて、それを言わない人々はすべて真実を誤魔化している嘘つきだと思い込む現象があったことも、指摘しておかなければなりません。

そこで緊急事態宣言の効果が終わって再び新規陽性者数が増え始めた六月下旬以降、私はブログで「日本モデルVS西浦モデル2・0」というシリーズを書き始めました。決着をつけなければならない、と思ったからです。本当に「人と人との接触の六〜八割削減」がなければ、新規陽性者の指数関数的増加は止まらないのか、あるいは押谷先生の考えの方が正しいのか、はっきりさせなければいけないと思ったのです。そのとき「西浦モデル2・0」の原型は、東京都の広報ビデオに西浦先生が都知事と現れたときの説明からとりました。その時の西浦先生のグラフは、何度も何度も、ブログに貼りつけました。

上念　ああー。

篠田　西浦モデルで四月に作成された有名なものは、「基本再生産数二・五」で計算すると、感染者数、死者数がうなぎ上りで、死者数が四十二万人になるという凄まじいもの。五月には、さすがに死者数をあげるのはやめていらっしゃいました。ですから、その「改訂版」を、私は「2・0」と呼ぶことにしたのです。

改訂版の計算根拠はよくわかりません。緊急事態宣言が終わってしばらくすると、また新規陽性者数は増えるよ、という、それ自体は誰でもわかることですね。ただ、そこは西浦先生ですから、単に三～四月の新規陽性者数の増加が再現されるだけではなくて、そのまま指数関数的に増え続け、それでやはり「人と人との接触の六～八割削減」がないとその増加は止まらない、という内容であるとしか見えないグラフでした。ところで、「日本モデル」と一緒で、そもそも四月に「西浦モデル」という概念を作り出して使い始めたのも、私でした。ご本人は迷惑だったかもしれません。まして東京都の動画に出た時に使っただけのグラフを「西浦モデル2・0」というのは、いささかしつこいよ、と迷惑に思われるかと思います。すみませんでした。この場を借りて、お詫びしておきます（笑）。

「西浦モデル」と私が呼んでいる西浦先生の計算式は、いわゆる「SIRモデル」が原型になっているものです。西浦先生が在外研究をされたインペリアル・カレッジのファーガソン教授は有名な方で、イギリス政府の政策にも影響を与えましたが、後にボリス・ジョンソン首相とともにかなり批判されましたね。これは全て「SIRモデル」の有効性の問題なのです。「SIRモデル」の「S」は「感受性保持者（Susceptible）」、

「I」は「感染者（Infected）」、「R」は「免疫保持者（Recovered、あるいは隔離者Removed）」のことです。この三つの相関関係をもとに、感染拡大の予測をしていくのが、「SIRモデル」です。これのおかげで、突如、微分積分の勉強を思い出すのが当時のトレンドになり、「俺は微分積分が得意だ」みたいな妙なマウントをする人が続出して、一世を風靡しましたね（笑）。わずか数カ月前のことですが、遠い昔に感じます。中野教授のK値のように、対抗するモデルを考える風潮も流行りました。この方々すべての大枠の前提は、ウイルスの感染がまるで自然現象のように法則性を持って展開していく、というものです。

ただ、社会科学者の私からすれば、その前提からしてちょっと怪しいんじゃないの？と思っていました。ウイルスの伝播は人間がやっていることですから、もっと人間的な部分を見た分析が必要なのではないか、と。特に「SIRモデル」の場合には、世界には感染予備者、感染者、感染済免疫保持者の三つの種類の人間しか存在しておらず、三者の関係は一定の法則性を持って進んでいくという、すごい前提の世界観で成り立っていますから。本来は、「このモデルで計算してみた場合にはこうなる」という思考実験をする際の頭のトレーニング以上の意味はないはずなのです。それで「この条件がこうなった場合にはこうなる」というふうに考えていくために使うことに意味があるのです。
ところが西浦先生のカリスマ性のあるプレゼンテーションもあって、いつのまにか世界の未来を予言したもの、というふうに扱われるようになってしまった。西浦モデルを語っていない者はすべて世界の真理から目をそらした経済至上主義の嘘つきだ。だから我々はアベ首相の話を聞くことも拒絶する、我々を救ってくれるのはただ「人と人との接触の八割削減」だけだ、「さあ、無数の自粛警察よ、いまこそ出でよ！」みたいな……。

上念　そんな話がメディアで流通するようになってしまった。

篠田　より具体的に言うと、致死率一つをとっても、西浦先生は一月の武漢のデータを参照したというのですが、断片的なものでしかなく、四月の時点で完全に古いもので、日本の実態と乖離《かいり》していました。二月中旬にすでに押谷先生ら専門家会議の方々が「新型コロナは感染力は高いが、致死力は低い」と洞察し、それにもとづいた政策を導入していたのに、西浦先生は、それを否定して挑戦するかのような高い致死率で計算をした。しかも四月の時点ですでにわかっていたはずの高齢者と基礎疾患保持者だけが高い致死率を示す、という条件もまったく加味しなかった。
先ほど私は四月十五日の西浦先生の「四十二万人死ぬ」記者会見にカチンときたと言

いましたが、他の西浦モデルの批判者とは違って、西浦先生は間違えている、とは書きませんでした。むしろ、「西浦先生は嘘を言っている」と書きました。「そっちのほうが全然ひどい」と大ブーイングにあいましたが（笑）。でも、実態とかけ離れた条件で人を脅かして、「さあ、これで唯一の救済策が『人と人との八割削減』であることがわかったでしょう、すべてを忘れてそれだけに向かって邁進しよう！」と、SNSなども駆使したあらゆる手段で、ほとんど宗教指導者のように訴えていたのですから。あの頃の西浦先生は。

当時は、専門家がリスクコミュニケーションを大衆扇動として使ったらダメだと思う。専門家会議の正式メンバーではない西浦先生が記者会見に現れて、座長・副座長を差し置いて、というか座長の話と矛盾するところもあるような内容すら含む話を、自信満々に長々と語り続ける、ということが何度も起こっていました。それを煽り系メディアが、世界の真理を語ってくれるただ一人の本当の専門家がここにいる！　といったふうに扱っていましたね。それに行政も振り回された。

ある記者会見で、西浦先生が「公園の人出が減っていないので『八割削減』が達成されない」と訴えました。そうしたら翌日に都内の児童公園は立ち入り禁止になり、遊具にはテープがグルグルとまかれて使えないようになりました。あれは本当に悲しかった。

いったい何を考えてこんなことをするのか、という気持ちが沸々《ふつふつ》とわいてきた瞬間でした（笑）。

上念　そうだったのですか。

篠田　首相や専門家会議座長が公式に言ったことではありません。西浦先生が記者会見でそう言っただけだったのに、行政が過敏に動いたのです。当時の西浦先生には、それくらいの影響力がありましたね。ところが、あの時の西浦先生の発言の根拠になっていたのは、グーグルモビリティで公開されていた、誰でも見られる大雑把な数日分だけの断片的なデータでした。何か特殊な調査や継続的な調査をへて収集されたデータではありません。ですから私は、その後、都内でコソコソと人目を忍ぶように歩いている親子の姿などを見るたびに、悲しい気持ちになりました。七月から書き始めた「日本モデルVS西浦モデル２・０」を書いているときは、いつもあのときのテープでグルグル巻きにされた児童公園のことを思い出していました。

六月下旬以降に新規陽性者数が増加に転じた後、煽り系メディアは狂喜して「アベ政治を許さない！」をまた始めましたが、その中に「やっぱり西浦先生は正しかった」と言っている方が何人もいましたね。私はもうその頃には筋金入りの押谷先生信奉者になっていましたから（笑）、「なに言ってんだ、緊急事態宣言が終わってしばらくしたら陽性者数が戻るのは当たり前じゃないか、問題は『ＳＩＲモデル』の通りに進むのかどうかだよ」という気持ちで「日本モデルVS西浦モデル２・０」シリーズを七月五日から書き始めました。

もちろん、自信もあって書き始めたのです。七月を通じて増加率は鈍化し続けていましたから、煽り系専門家の方々の大活躍の様子を見ても何も焦ることはありませんでした。ところが、七月の四連休の人出の影響が出た七月下旬に少し反転したので、やや焦りました（笑）。ただその影響は小ぶりで、すぐに鈍化に戻し、ご存知のように八月には新規陽性者数は減少に転じました。九月二日に安倍首相の退陣に合わせて書いた最終回まで、全部で八回書きましたが、日本モデルの勝利をはっきりと宣言して、終わりにさせていただきました。

上念　なるほど。

篠田　もちろん今後も新規陽性者数がゼロになることはありませんよ。常に必ず一定数ということもありえませんから、増えたり減ったりします。西村大臣が五月頃の記者会見で言及して有名になった概念に「ハンマーとダンス」というのがありますが、要するにゼロになることはない感染流行を、増減のトレンドを見ながら、管理していく、という考え方です。まあ、専門家会議が招集された後の二月下旬から一貫して日本政府が言ってきていることです。今後も、これは続いていくのでしょう。重要なのは、たとえ新規陽性者が増加する局面が来ても、ウイルスとダンスを踊りながら、重症者数は特に抑制し続け、医療崩壊だけは絶対に避けるようにトレンドを管理する、ということでしょう。

私が「日本モデルVS西浦モデル2・0」シリーズで言いたかったことは、「SIRモデル」では集団免疫ができるまで、「人と人との接触の六～八割削減」がなければ、指数関数的拡大が止まることはないので、「日本モデル」の「ハンマーとダンス」は「SIRモデル」の前提に対する明確な異議提唱である、ということでした。

それにしてもこのあたりのことは、本当の専門家の方々で、しっかりと検証したりしないのですかね。シンクタンクも、政治家と官僚にインタビューするだけで云々していないで、もっとしっかりとした検証をしたほうがいいのではないか、と思います。いつまでも、いつまでも「増加→煽り系専門家登場→鈍化→煽り系専門家お休み→増加→煽り系専門家再登場……」のサイクルを続けていくだけなんですかね。せいぜい「アベ政治を許さない」の人たちが「ガースー政治を許さない」にスローガンを変えるだけですか？　そうだとしたら、いよいよこれは日本は危ないな、という気がします。
ところで小池都知事は「日本モデルVS西浦モデル」をどう捉えているのでしょうか。本当に西浦モデルを信奉しているのなら、また西浦先生と一緒に現れて、「いずれ西浦先生が予言したとおりになるよ」と語るべきだと思うのですが、なぜ言わないのでしょうね。

上念　自粛してくださいということよりも、首相候補として存在感を示すほうが彼女の関心事だからです。言うことがコロコロ変わっても、みんなどうせすぐ忘れると思っているから。

篠田　一言で言うと、政治学者の分析対象としては、小池都知事は面白くないですね。表層的なコミュニケーション論の題材としては語ることは多々あるのですが、内容面では、安倍首相のように本当にやりたいことを持っているのか、よくわからない。方針が間違っているとかでなく、はっきりした方針がないから。本人も「困ったな、そこまで考えてなかったな」というところくらいにしかいかない。

上念　その通り。深く考えてないと思います。

篠田　それで私のような人間が現れて「五月までは西浦先生とこうやっていたじゃない

ですか」とクレームをつける。「そうなったら面倒くさいな」と思っていたから、西浦先生の姿を見せないようにしたんですかね。

上念 なるほど、そういう側面もあるかもしれませんね。

八割の人にとって「コロナはただの風邪」

上念 「コロナ制圧タスクフォース」というのができましたね。慶應義塾大学医学部の金井隆典教授が統括責任者をつとめるサイトです。メンバーである公立陶生《とうせい》病院の武藤義和感染症内科主任部長がまとめた「新型コロナウイルスのＮｏｗ！」という資料を読めば、コロナの疑問がすべて氷解します。

篠田 一般の人にもわかるように、砕けた表現で書かれているのがいいですね。

上念 そこには「八割の人にとって、コロナは咳、発熱、味覚障害を伴う普通の風邪、もしくはそれ以下です」とはっきり書いてあるんですよ。

これまでの経験でわかったことは、「八割以上の人がただの風邪か、それ以下の症状で治る。一割ぐらいの人が入院するということ。そして入院したその一〇％の中の一〇%、十人に一人ぐらいがＩＣＵに運ばれます。そこでＩＣＵに入った人は、運が悪いと亡くなってしまいます」という流れを整理した。この一枚のチャートですべてを表しているると思います。そうすれば、「何をどう守らなければいけないか」がはっきりするでしょうと。ＩＣＵに入って死に至るリスクが高いのは、高齢者と持病を持つ人に偏っています。そのデータも出ていて、東京都の亡くなった方の年齢階層別の統計では、八三・一%が七十歳以上です。死亡者の年齢中央値は八十歳代前半です。ほぼ日本人の平均寿命。こうなるとコロナで死んだのか自然に死んだのかわからないです。

さらに言うと、残りの一六・九%、約一七%の七十歳未満の人のうち、持病がなかった人がどれくらいなのか？　東京都の調査によれば持病についてアンケートの記録のある死亡者百九十八人のうち、持病があった人が百九十四人らしいのです。そのうち七十歳未満の人は三十六人で、持病があった人は三十四人です。

ということは、ほとんど持病と高齢というファクターで説明がつくのです。そこだけガードしたら、残りの人にとっては〝ただの風邪〟なのですから。

するとテレビで煽ってきたような「非常事態宣言」をもう一度宣言して都市封鎖をするのは、防疫政策として釣り合いがとれないわけです。

篠田 実効性も危ういですしね。

上念 逆にそんなことをしたら、別のことが原因で死者が増えるかもしれない。二〇二〇年一月から四月までの「超過勤務による死亡者」の統計が出ていますが、昨年同時期と比べてもほとんど変わらないか、少し減っているぐらいでした。

つまり暴論かもしれませんが、「コロナによって人が死ななくなった」とも科学的には言えてしまう。コロナウイルスによる死は千人を数えたけれど、反面、インフルエンザで死ぬ人が例年よりはるかに少なかった。

武漢の封鎖があった一月二十三日頃、僕はインフルエンザと比べてこの病気はどういうものなのかを、冷静に考えたほうがいいと主張していたのです。でも「未知のウイルスなのに、インフルエンザと一緒にするわけにいかない」と、クレームをつける人が多かった。

しかし、インフルエンザはワクチンも特効薬もあるのに、毎年三千人も亡くなっています。それに比べ、新型コロナはワクチンも特効薬もないけれど、日本では千六百七十人しか命を落としていない。毒性がインフルエンザより低いのは明らかです。

確かに、最初の時点では正体が不明でしたから、怖がりの人がパニックを起こしても仕方がない。でも、すべてがわかったら、いたずらに怖がることはない。

まあそんな感じですから、科学に携わる人も、きちんとものが言えるようになってきたのではないでしょうか。当初、二月ぐらいの状況では、正体がわからないから、はっきりしたことは言えない、「確率はゼロではない」といった発言しかできませんでした。いまは堂々と発言できるようになったのは、あのタスクフォースの資料のおかげですね。

「虎ノ門ニュース」でも言いましたが、微生物の研究でPCR検査を扱うバイオ企業、バイオガイアの野村慶太郎社長が、フェイスブックにこんな投稿をしていました。

「PCR検査は、症状が出て病院に来た人の病原体を特定して適切な治療法を立てたり、何かの統計を取るためにデータを収集する目的以外には、何の意味もない。日本人はいつまで、こんな無駄なことを続けるんだろう」

しかも、PCRで陽性になるのと、感染すること、また発症することとは、まったくレベルが異なる話です。また前に述べたように、たとえPCR検査で陽性になっても、二週間前にとっくに治ったのにウイルスの残骸があっていて、それが反応している可能性もあります。これを「感染者」として分類するのは不合理です。僕はこれを自分のフェイスブックに書いたら、八千人ほどがシェアしてくれました。やっと自由にものが言えるようになったんだと思います。

致死率の低下は全世界的な傾向

篠田 確かにそうですね、ワクチンと特効薬があるのに年に三千人も死んでいるインフルエンザがあるんだから、もっと科学的に考えてみたらよろしい。というか押谷先生信奉者の私としては、少なくとも押谷先生の本や雑誌記事のレベルのことは押さえないと、と言いたいのですが。

上念 どっちが怖いかですね。でもいたずらに恐怖を煽る人は、「俺が怖いから怖い、何でお前は怖がらないんだ?」という感情論に走っているだけ。

篠田 ステージの違いですね。

上念 そういう意味では、左翼というのが困った存在なんですね。でも、専門家も彼らの意図に引きずられずに、科学的誠実さで対応するようになっています。「八割は普通の風邪です」と言い切る人が増えてきたのは、喜ばしいことです。

また、櫻井よしこさんが主宰する「言論テレビ」に出ていた日本医科大学の松本尚《ひさし》先生は、「科学的根拠はないが」と前置きした上で、「感覚的には弱毒化しているかもしれません」と、弱毒化の可能性に触れていました。「いまは四月と違って、三十代四十代の人で、肺炎にかかる人をまったく見なくなった」と語っているのです。四月時点では、三十代、四十代でも肺炎になってから運ばれたり、入院してすぐ肺炎になってしまう人が多かったらしい。でも現在はまったく見ない。こういう話も、やっと言えるようになったんですよ。「あのまま続いたら危なかった」という感じですね。

篠田　致死率の低下は、全世界的な傾向ですね。ただ、繰り返しますが、「欧米人よりも日本人は死なない」といった話は、あまり根拠がありません。日本人が死なないのではなくて、三月、四月の頃の欧米諸国の致死率が異常な高さだっただけです。そのことは、当時から欧米とその他の地域（東アジアだけでなくアフリカや中東や南アジアなどを含む）とを比較することによって、明らかでした。私が早い段階からその点について指摘していたことは、『アゴラ』記事で確認していただきたいです。この観察は、いまやさらにはっきりしてきていると思います。何よりも欧州諸国が政策的アプローチを変えることによって致死率を劇的に下げることに成功していますから。

致死率の低下の傾向は、政策的アプローチによるところが相当にあると、私は考えています。日本の科学者の間で根強い「世界は欧米と東アジアだけでできている、その他の地域の人々は存在していないに等しい、何があっても欧米と東アジア以外の地域のデータは見ない」主義の方々の偏見はひどいものです。ですから、「欧米人よりも日本人が死なない」ことに着目して設定した仮説は、慎重に見ていく必要があります。いわゆるBCG仮説や集団免疫成立済仮説などもすべて、慎重に見ていかなければなりません。私はいままで一度も言及したことがありません。仮にそれらの仮説に妥当性があるとしても、高齢者や基礎疾患がある人に焦点を当てた防衛策が重要であることに変わりはありません。社会科学者としては、そこが引き続きポイントだと感じます。

「トランプ憎し」を孫引きする日本のマスコミ

篠田　異常なまでに徹底して感染者数だけを報道する偏向が、日本で「アベ政治を許さない」煽り主義者のメディアや言論人によって流布されているだけではありません。アメリカのCNNあたりのポリコレ系メディアが「トランプ憎し」でアメリカの連邦政府の失政を宣伝するために同じような煽りを流布させています。日本のメディアは日本国内でしか影響力がありませんが、CNNなどは世界的な影響があります。「（民主党の）NY州知事クオモは広範なPCR検査で成功している」というCNNの報道を見た日本の煽り系の人たちが、それを孫引きして日本での〝煽り〟に参照していると思われる場合があることは、すでに述べたとおりです。

改めて申し上げます。日本は極めて早期に国境閉鎖などをした「封じ込め」派の一部のアジア諸国より〝成績〟がいいとはいえませんが、それ以外の国の中ではいい。「抑制」管理諸国の代表格です。「感染者数中心主義」の「SIRモデル」に依拠した政策ではなく、「重症者中心主義」の方向性をとり、医療崩壊を防ぐことを重視した、穏健だが持続性の高い政策に切り替えました。この「抑制」管理派の諸国の中では、最も早く適切な判断をして、最も良好な成績を収めているのが、日本です。国際的には、「日本モデル」は評価されています。

これは旧専門家会議の先生方のおかげ。尾身会長・押谷教授らは、多くの国民の命を救い、日本を混乱から救った〝国民的英雄〟です。不当な誹謗中傷を許してはいけません。もし非現実的なことばかりいって大衆操作を試みる無責任な煽り系の人たちが専門家会議を支配していたらと思うと、身の毛がよだちます。

3

ポスト安倍の「宿題」解決法

新型コロナ肺炎を「二類感染症」から指定解除しよう

上念　新政権が誕生した当座、「菅政権は十月解散で国民に信を問う」という観測がありました。結果的にそれは実行されなかったのですが、いまからでも、コロナのリスクに対する危機意識をテーマに、解散総選挙を考えてもいいと思います。

篠田　解散して、「コロナについてはここまでやってきました。では、これからどうしますか?」と、国民に考えてもらう機会を与えるのも有効だということですかね。

上念　その気になれば、簡単にできるはずです。まずは新型コロナウイルス肺炎、武漢肺炎を「二類感染症」から指定解除する。二類感染症指定があると、PCR検査で陽性になった人は全員、感染者と認定して、入院隔離しなければならないのです。それが医療崩壊懸念の原因になっています。

でも前に述べたように、実際にはPCR検査で陽性反応が出ても、半分以上が無症状なのです。この四月、五月は無症状者が二割しかいなかったのに、です。活性化もしていないし、人に感染させることもない人を入院させて、貴重な医療のリソースを投下していたら、いくら病院があっても足りません。だから、インフルエンザと同じような扱いにするべきです。

　それで、先ほどのタスクフォースの文章を読むと、「感染させる期間は発症の二日前と、発症してから七日後ぐらいまでのだいたい一〇日間ほど」ということがわかります。その間、人と接触せず、感染を防げばいい。なおかつ、人と接触しても感染させる人は、五人に一人ぐらいしかいないらしいのです。つまり強烈な感染力ではない。

　としたら、まず若い人は普通に活動してもらうことにする。体調が悪かったら一週間程度、自主的に休んでもらう。ただしこれには、文化的なコンセンサスがいります。昭和の遺物のようなパワハラ上司がギャーギャー言わないことが条件。そして、発症が疑われた場合、家族がいて家に帰れない人を受け入れるホテルを大量に用意しておく。隔離生活が終わって熱が下がり、症状が見られなくなったら現場復帰。七日の間に治れば大丈夫なんです。もちろん、七日の間に重篤化する人もいます。高齢層が多いのですが、こういう人が十人に一人ぐらい出るそうです。そうした人は順次病院に送る。

　これをしっかりやればいいわけなので、それができる体制をしっかり確保した上で、二類感染症の指定解除をする。そうすれば経済は普通に回ります。

そしてそこで、消費税減税を提案する。一年間限定で五％に引き下げる。これには好感を持って迎える人が多いはずです。

それなら「新型コロナ解散」を断行せよ

篠田　「指定感染症」については、おっしゃった通りだと思います。ただ、コンセンサスが必要です。厚労省の体面も考えなければいけないし、それなりの準備期間、例えば意識づけが必要ですね。それが確立できるかどうか……。

上念　でも、全国で毎週ＰＣＲ検査をするという方向よりは、はるかにいいはずですね。

篠田　菅総理に強固なトップダウンの意思があれば、それなりの調整の期間を設ける。地方自治体ともコンセンサスをとって、医療機関にも準備期間や、それなりのリソースを提供する、それだけの話ですね。一定の準備期間を設ければ、破綻することもなさそうだし、ある程度うまくいくんじゃないかなと思います。

ただ、そこで奇妙な抵抗勢力が生まれるとややこしくなるので、見極めが大変。霞が関の官僚たちの縄張り争いとか、厚労省のメカニズムにも配慮する必要がある。その判断が難しいのですが、論理的にはそれが正しい。

投票に行くときの感染が怖いというのなら、ソーシャルディスタンスを図って投票するとか、不在者投票の時間を調整するなどの工夫をすればいい。工夫をしたうえで、「これについては信を問いたい」と、憲法問題も提示できるといいですね。減税の話は上念さんにおまかせしますが、それも組み込めばいい。

国民の信を問うというと、やや「劇場型」になってしまいそうですが、憲法改正の手順をきちんと踏もうとすると時間がかかるだろうと、陽性者が収まってからなんて、計算できないことをみみっちく計算しても、展望が開けてこない。菅首相が時々、ワクチンにすごく期待している発言をしているのを見て、少し心配はしています。ワクチン開発はいつできるかまだわかりませんし、どのようなレベルで開発されるかもわかりませんよね。絶対に感染しない完ぺきな予防薬がワクチンだ、というイメージを持っていると、間違えるかもしれません。また、開発されても、実用化され、普及していくには、相当な年月が必要でしょう。解散総選挙のタイミングを決めるのに考慮すべき事項とは思えません。むしろやはりコロナ対策の政策内容を時限つきで決めて、そのための解散総選挙が必要だと主張したらいいと思います。反対意見もあるでしょうが、そんなのは気にしないことです。アジェンダを明確にするかどうかの問題だと思うんですね。「掲げる政策を遂行するためには総選挙が必要で、憲法改正についてはこう考えます」と、明確で論理的な説明をするべきです。

上念　ほんとうにそうですね。少なくとも消費税減税を掲げれば、未来に明るさを感じられるようになる。みんな、景気のいい話を聞きたがっていると思うし、フラストレーションが溜まっています。そんなときは、人々は清算主義的なハルマゲドン思想に染まりやすい。バブル崩壊時もそうでしたし、リーマンショック後もそうでした。あの当時に作られたアニメなんかを見ても、そういう傾向が強い。『残響のテロル』とか『東のエデン』のように、清算主義的なハルマゲドン理論がベースになってるものが多い。

そういう意味で言うと、菅政権が解散のリスクを取ることは、正しき方向に導くという意味では、小泉政権のような「郵政解散」のような国民がスッキリするような、リスキーなギャンブルをすることは悪くないと思います。

篠田　ただ、菅政権発足後の最初の事件は、日本学術会議会員任命拒否の問題となってしまいました。突然に解散すると、一部メディアは「学術会議解散」とか言い出すかもしれません。そうなると解散の意義が著しく矮小化《わいしょうか》されてしまう。実際には菅首相は早期解散に関心がないようでしたが、日本学術会議の事件で、早期解散の可能性がさらに小さくなったかもしれません。「新型コロナ」解散は、ウイルスの流行の可能性が高まるかもしれない冬の来る前が望ましかったのですが、これは難しくなってきました。オリンピックの日程を考えると、春の可能性は乏しいですから、二〇二一年十月の任期切れの近くまで引っ張る可能性も出てきましたね。九月には自民党の総裁選があります。いろいろな駆け引きが出てくるのでしょう。いずれにしてもしっかりと政策を準備して臨んでもらいたいですね。

「減税」「消費税凍結」で閉塞感を打ち破れ！

上念　野党はおそらく、早期解散を恐れていると思うんですよ。僕は断行した方がいいと思いますが、その際に、減税というのが自民党にとっての切り札になる。やると決めたら、財務省も協力せざるを得ない。

篠田　振り返ってみると、減税云々というより、米中経済対立もあるので世界経済が落ち込むから、増税しないほうがいいという思惑だったようですが、その後に起こったことは、それとまったく規模が違いますね。

上念　リーマンショック級の何倍ものショックが襲ってきたのですから、消費税は最低でも八％には戻さなければなりません。だって、安倍総理は「リーマンショック級」の経済危機があるかもしれないから増税を延期してきたわけですから。一〇％に増税したらそれが起こった。ならば増税は取消し、というのが筋です。元財務官僚で嘉悦大学教授の高橋洋一先生によれば、軽減税率を全品目に適用すれば減税は比較的容易にできるそうです。

そういう意味で言うと、今回、功を奏したのは、雇用調整助成金と持続化給付金。失業と倒産防止という意味では、効果が大きかった。中小企業や個人商店などに話を聞いたところ、持続化給付金がなかったら廃業していたというところが多いです。「事務手続きを電通の関連会社に丸投げした」ことを批判されましたが、民間が実行したから展開がスピーディーだった。あの「丸投げ」は実は効果的で、厚生労働省のハローワーク主導の「雇用調整助成金」はとても時間がかかりました。「潰れた後にお香典」といった感じです。

それでも支給され始めたから、だいぶ助かった。実施されなかったら、失業者がもっと増大していました。そういう人たちが一応、「休業」という形で雇用されているわけです。ただ、受給期間はやがて切れるので、そのときまでに感染症が終わるとも思えない。長期的な展望を打ち出す必要があります。

篠田 それができたら、次は減税という方向ですね。

上念 現在のような社会の閉塞感を打破する方法は、岸信介、佐藤栄作、池田勇人らがとった政策を踏襲するしかありません。なんとかして景気を浮揚させること。景気がよくなると、みんなが忙しくなってきて、不安を忘れるのです。議論してもわかり合えない問題に直面したら、大幅に景気をよくするしかないのです。

篠田 なるほど(笑)。

上念 それ以外では無理だと、僕は考えています。日本が失敗したのは、一九八〇年代の後半、景気がだいぶよくなって、ソ連も崩壊して絶好のチャンスが到来したのに、そこで何の手も打たなかったことです。あのときなら、交渉次第では北方領土返還も実現した可能性もあるし、米ソ冷戦終了とともに、日米安保条約の再定義もできたかもしれない。

しかし、中国利権に群がる人たちは、中国を念頭に置きすぎました。大国の余裕で中国を甘やかし、そのうち刺激してはいけないということで、及び腰になってしまった。中国共産党の幹部連は、田中派、竹下派に土下座して、賄賂をたくさん送ってきたのに。国内の公共事業もずいぶん減って、代わりに海外のＯＤＡ事業でぼろ儲けしようという発想しかなく、それでよしとなってしまったのです。

景気がよくなって国民が活気を取り戻すのは好ましいことですが、政治家まで長期的な課題を忘れてしまうのは、非常に困ったことです。八〇年代にやっておくべきことが、まだやり終わってないというのが、かえすがえすも残念です。

政策工房の原英史《えいじ》さんなどが提唱していますが、民営化問題に関しても中途半端。日本には政府系金融機関が四つもあるんですが、これらも八〇年代に民営化しておかなければならなかったものです。

国鉄やＮＴＴなど、惨状極まっていたところは民営化しましたが、郵政の民営化は二〇〇〇年にまでずれ込みました。ＵＲ都市機構（賃貸住宅）の民営化も必要なのですが、民間委託は進んでいるものの、まだ民営化には至っていない。この事業を官僚主体でやる必要があるのか疑問です。戦後の焼け野原の時代なら、住宅を大量に供給することが不可欠でしたが、いまはもう昔の話です。こうした事例がたくさんあったのですが、まだまだ未解決なところが多い。こうした「官僚の民業圧迫」につながるケースは、払拭《ふっしょく》しておかなければいけません。

在庫統計がない中国の「回復」なんか信用できない！

上念　コロナの中での経済政策に関しても、日本はうまくやったと思います。また韓国にしろ中国にしろ、コロナに関してはわりあいうまく抑えた。そして中国経済は本当にV字回復しているのかどうか定かではないし、韓国は不明ですが、それに比べ、ヨーロッパとかアメリカの低迷ぶりは深刻というしかない。

もっとも、中国のデータは一つも信用できないですね。おそらくいま中国がやっているのは、原料を輸入して、工場を空回しに近いような状態で回して、無理やり公共投資を増額する形でGDPをかさ上げしているのだと思います。中国には在庫統計がないんですよ。だから輸入したものを作って全部積み上げておき、それが売れなくてもGDPには反映されます。GDPは「三面等価」といって、生産と消費と分配がカウントされます。そういう意味で言うと、たくさん作れば生産分野では伸びたことになる。でも在庫統計がないので、本当に消費されたかどうかはわからない。消費、もしくは投資したことになってしまう。ですから中国の統計を鵜呑みにすることはできない。

失業率も、発表以上に悪くなっている可能性がある。中台證券という証券会社がこの三月ぐらいの段階で、失業者がすでに六千万人以上という衝撃のレポートを発表しています。「現代ビジネス」の近藤大介さんによると、すでに一億人を超えているという説があります。

韓国も、国際的にこれだけ需要が低迷しているので、苦境に陥っているはずです。韓国は輸出中心の経済ですから。経済政策の成否というのは、基本的には失業率で決まるんです。その失業率を決めるファクターは、倒産件数が少ないことの要素が大きい。失業を少なくすることが経済政策の目標と言ってもいいぐらいです。その王道の部分で、日本の経済政策というのは、相対的にはうまく行っている。アメリカも頑張っていますが、失業者に給付金を支給し過ぎて、元に戻すのが大変な状態です。

篠田　給付が目的のようになっていますね。

上念　そうです。働いているときより、一・五倍ぐらい手取りがあるといった状態になっている。すると「経済が再開したよ」となっても、「いや、給付金をまだもらえるから」と、現場に戻ろうとしない。アメリカはちょっとやり過ぎの感がある。それに比べ、ヨーロッパはちょっと足りない。

アメリカは給付金を配ったにも関わらず、「BLM」(ブラック・ライブズ・マター)のような人種差別をめぐる大暴動が起こってしまった。経済的に困窮した人々は過激な思想に染まりがちなもので、中国の文化大革命みたいな過激なデモが頻発しています。そういう点では、日本は落ち着いていますね。

中国に話を戻しますと、おそらく「農民工」と言われる人たちが失業統計に入らないまま、全員解雇されて、ひどい目に遭っているだろうという予想です。韓国経済は小規模だし、世界的に輸出がダメになると厳しいはず。それを考慮すると、日本はうまくやっていると思います。社会秩序もそれほど混乱してないですから。それは何よりも、失業率があまり高くないということが大きい。マスコミはこういう点に目を向けず、国際比較もせずに、肌感覚だけで適当な文章を書いています。それを読んでいる人は「もう日本はダメだ、政府は全然ダメだ」という感覚になってしまうのではないでしょうか。

篠田　日本はダメだ、コロナ対策もダメだ、支援もダメだ、何もかもダメだっていう、「ダメだダメだ空気」が蔓延していましたが、実は違うということですね。

「今がなければ未来はない！」

上念　確かに安倍政権も、コロナの当初はかなり迷走していましたからね。アベノマスクあたりからか、もっと前からか……。もっともリーダーシップを発揮しなければいけない局面で、官僚や周囲の言いなりになってしまった。十万円一律給付も、もともと安倍さんはそれをやりたかったのに、今井尚哉《たかや》補佐官と麻生太郎副総理が潰してしまった。

それで「三十万給付」が世間から猛反発を食らって頓挫し、岸田文雄政調会長の面目は丸つぶれ。もちろん「三十万給付」などは、五世帯に一世帯ぐらいしか支給されない。実施した瞬間から、「どうせもらえないじゃないか」というムードが出てきた。そういう批判が出ることに気づかなかったのでしょうかね。

篠田　マスコミがわざとそういう写真を使ったのかもしれませんが、安倍首相は当時、目が虚ろで覇気がなかった。いかにも力をなくしているという印象でした。

上念　「雲隠れ」という噂もありましたね。

篠田　写真週刊誌の『フラッシュ』でしたか、七月初頭に安倍首相が執務室で吐血したっていうような話を報じましたね。

上念 結果的にそれは当たっていたのですが、まだ在任中だったのだから、むしろマスコミを敵に回してでも、国民を味方につける政策をやったほうがよかったと思うんですよね。

経済学者の田中秀臣氏によれば、コロナ禍はリーマンショックと違って、経済活動そのものができないわけですから、売り上げも生まれないが、その中で企業が倒産しない、労働者が解雇されないという不思議な状態を作らなければならないとのことです。そのためには政府と中央銀行がリスクを背負って、ほぼ無限大に財政支出と金融緩和を行う必要があります。誰も働かないけれど給料も減らない、といった状態を作ればよかったんですよ。少なくとも非常事態宣言の間は。「そのためにありとあらゆることをやります」と、首相が説明しさえすれば、こんなに迷走することはなかったと思います。

財務省筋は財政規律を持ち出すでしょうが、「そんなこと気にしてる場合か、いまがなければ未来もないんだ」と言えばいい。でも安倍首相は、あまり明確な指針を示さなかった。多分、そういう性格の人なんでしょう。僕は、小泉元首相の方式にならって、「抵抗勢力」を仕立て上げて〝劇場型〟にしてしまえばよかったのではと、思っています。

そうすれば国民の支持が集まったはずです。そこで野党が騒いだら、野党の支持率が下がっただけだと思います。

そして十万円の一律給付は、まず緊急事態宣言と同時に支給して、延長時にもう十万円支給。そして「感染がある程度落ち着いた秋頃から消費税減税します」と堂々と宣言すればよかったのです。

篠田　それで解散総選挙を断行し、気に入らなかったら落としてくださいと、正々堂々、信を問えばよかったんです。しかし、相手が姑息な態度しか取らないので、そういう正面切った戦術を取らなかったというのが、僕の見立てですが。

上念　確かに、安倍政権の対コロナ経済対策は、最初は失敗続きでしたが、だんだん軌道修正ができてきて、蓋を開けてみたらまんざらでもなくなった。現段階では、世界で一番まともかもしれません。

中央銀行と政府が上手に連携できているという点が、とても評価できます。いま世界では「日本を見習え」という空気が広がっていますが、日本人は「日本のコロナ対策は思っているほど悪くないんだ」ということを、もっと意識したほうがいいと思います。

菅政権の外交手腕には不安がいっぱい

上念　ただ菅政権への懸念材料は、外交・安全保障と、その基礎になる憲法問題ですね。菅さんは外交安全保障に何ら実績もないので不安だという声がありました。

篠田　そもそも英語をまったく話せない。「安倍首相に知性があるのか」いう成蹊大学教授の嫌味な指摘がありましたが、ところがどっこい、トランプ大統領とゴルフもして、英語でコミュニケーションをとっていた。実務なら大学教授よりできるよ、と言うところを見せていた。菅首相は、安倍首相とはまったく違うパーソナリティなのでは？　という予測を立てざるを得ない。内政面では安倍首相よりも切れるところがある。アキレス腱は外交ですね。安倍政治の継承といっていますが、外交の分野まで継承できるのかどうか？　茂木外務大臣の存在感が増し、官邸というよりも外務省主導の外交案件が増えていくでしょう。ただ、外交問題を外務大臣に預けるといっても、本当に首相が外務大臣にすべてを丸投げするわけにもいきませんから、確立されたやり方が作れるかは注目点ですね。

上念　そうでしょうね。

篠田　菅政権は内閣支持率も高いし、一部では歓迎ムードがありますが、国際政治学者の端くれとしては、「菅さんはどういうスタンスなのか」を慎重に見極めざるを得ない。岸田文雄さんは安倍政権下で長く外務大臣をつとめていましたが、首相の器ではないという評判を何とかしないといけないですね。

上念　岸田さんも石破さんも、外交に関しては菅さんと大して変わらないと見られてませんでしたか？　英語はどなたもおできにならないのじゃないですか、安倍さんほど。

篠田　岸田さんは堪能ですよ。だから岸田氏のほうが外務大臣経験も長いし、やはり計算はできます。

彼の地元は広島ですが、実は広島というのは〝惜しい〟ところなのです。どれを取っても中四国地方で一位で国内で十位とか。いいものはあるけれど一位は取れない。味があって色もあるんですが、もう一歩、突き抜けない。国際的にもよく知られていますが、観光都市としては京都に圧倒されている。まるで岸田さんの人柄を象徴しているような印象です。残念です。海外に行ったら、「広島」ほど世界的に知られている日本のブランドは他にないという気になってきますから、ポテンシャルはすごいです。今後、それをどううまく料理するか。まずご本人の内部から味が滲み出るようになっていただかないと。ブレーンの問題かもしれませんが。

岸田さんの最大の売りは「外務大臣経験者」でした。だからなのか、オバマ大統領を呼んだとき、オバマ・安倍・岸田のスリーショット写真をたくさん撮っているんですよ。ほんとうはオバマ・岸田が一番よかったんだろうけれど。

岸田さんは広島一区の出身で、オバマの広島訪問を実現させるために、広島県知事や広島市長などを総動員した。オバマ訪問の陰の立役者でしたね。アメリカの大統領が広島に来て、広島市民に哀悼の意を捧げるというのは、安倍政権一期目の大きな成果でした。

上念　マスコミも珍しく、岸田さんを賞賛していましたからね。

篠田　あれで日米同盟がどれだけ精神的な深化をしたか、わかりません。安倍外交はとてもうまくやっているという印象を、全世界の人々に植え付ける効果もありました。その場に岸田さんがいたというのは、実は最大の売りなんですが、それなのに宏池会の人は意地を張って、妙にせせこましい内政の話ばっかりしたがるような気がする。

上念　たとえば河野太郎が外務大臣に再就任していたらどうなっていたでしょうね？

結局、行政改革担当相に回ってしまった。

篠田　菅内閣は、次の河野太郎に禅譲するための暫定政権ではないかといった観測もありましたが、真偽のほどはわかりません。

上念　ほおー。

篠田　麻生太郎さんの動きがカギを握るのでしょうね。河野太郎さんはやっぱり外務大臣経験者ですし、やはり実力派の政治家だ、行動力があると評価され出しました。それまではツイートがうまいやつということでしかなかった……。

上念　いまでもそうですけれど（笑）。

篠田　河野さんが発信力を持つと印象づけたのは、外務大臣就任以降ですね。多くの国民が〝もの言う〟外務大臣像を求めていたし、安倍首相も、それが国民の求める外相だと知っていた。日本の国力が相対的に低下し、また隣国・中国が超大国化した国際環境があります。今後の日本は、冷戦時代のようにのんびりとやっていられない、外交安全保障を間違えるわけにはいかないという気持ちが、国民意識にもあると思うんですね。その期待にまず応えておくことが、政権の最大の課題でしょう。その土台があってこそ、次の政策も打てるんです。安倍政権や小泉政権は、その土台がしっかりしていた、だから長期政権化した。菅政権は大丈夫かなという不安は、その意味でちょっとあります。

日本の外交力が期待される時代

上念　これまで自民党からたくさんの総理大臣を輩出していますが、国際政治で安倍さんのように活躍した人はむしろ少数派。菅総理は十月のポンペオ米国務長官来日で外交デビューし無難なスタートを切りましたが、安倍外交のように各国の信頼を得てその政治の中心にいられるかどうかはまだわかりません。

篠田　実は日本の外交政策は、冷戦時代はさほど大きな役割を占めていなかった。むしろノープロファイルで、あまり目立たないのが得策という感覚だったのです。変に目立つと、政治家が足をすくわれてしまう。当時の国内左翼勢力は、いまよりも圧倒的に強い勢力だったからです。国際社会の側から見ても、変なことに首を突っ込んでも損をするだけかもしれないし、やることもないので、目立たないようにしているのが一番賢い、という考え方の時代がありました。

ところがいい意味でも悪い意味でも、冷戦が終わってからは、日本の位置づけが変わってきました。最初から重要メンバーの一員になる場面が増えたのです。それは、日本の右肩上がりの経済成長がストップしたので、日本に牛耳られるんじゃないかといった恐怖心が、アメリカ人の間で薄れてきたからでもあります。それどころか、自分たちが弱くなってきて、自由主義体制が揺らいでいく中で、日本に協力してもらいたいという流れが強くなった。そこで日本の意見を聞きたい場面が増えていきました。同じように、ヨーロッパでも、日本に対する期待が高まりました。

日本の国民も、中国の超大国化に警戒心を強めていますから、外交安全保障問題の安定が重要だとわかっています。一方、日本の国力が低下しているのも実感しているので、さらなる外交政策をうまくしてもらいたい。そこで外務大臣ポストや防衛大臣ポストが出世コースに位置づけられるようになり、外務大臣経験者が有力な首相候補になっていくという構図ができてきました。

上念　菅政権は安倍政権の政策を継承するという位置づけですし、安倍さんからトランプ大統領にもきちんと説明があったと思うので、鳩山由紀夫氏みたいに、突如、それを大きく外すことはないはずです。実際に、ポンペオ長官来日時に日米安保堅持の方針は再確認されました。逆に、石破茂氏だったら危なかったんじゃないでしょうか。石破さんも、〝中国寄り〟の姿勢をずいぶん指摘されていましたから、自説を大幅に修正しましたね。経済政策でも、これまでは「金融緩和政策はやめろ、弊害のほうが大きく無限には続けられない」と主張していたのに、突然、「変えるほうがリスクが大きい」などと、わけのわからないことを言い出した。石破さんというのは、周囲の空気を読んで、それに合わせているだけの人で、それだからこその危うさがあるんです。

篠田　石破さんに関しては、やはり一時期、日米同盟に対して懐疑的な発言を繰り返していた時期もあって、これは危険だなと考えていました。

上念　菅首相は安倍さんのように国際会議の中心になるようなことはできないでしょうが、当面、国際会議もリモートになるでしょうから、通訳も入るので、あまり顔が映し出される場面がない。そういう点では、パンデミックが完全に終了するまでは、菅外交のボロは出ないのではないかと、そういう考え方もあります。

篠田　新型コロナの影響で、一緒にゴルフをしたくてもやれない時代になってしまった。

上念　それは菅さんにとって、とてもラッキー（笑）。

篠田　それを利用してうまく立ち回っていくテクニックを発揮できれば、ある程度の効果が見込めるかもしれません。そうでないとリスクも相当あるので、ボロが出るかもしれません。この時代をうまく活用してやっていただければ、と思いますね。

上念　リモート時代ならではの、新しい外交手法ですね。

篠田　オンライン会議中心の新しいタイプの首相という位置づけを確立できたら、新しい首相像の開拓が可能です。すると国民も、そんなイノベィティブ（革新的）な菅さんの側面に目を見張るはずです。私も一国民として、おお、そうだったのか、と喜びたいですね。

石破の外交センスに問題あり！

篠田　菅内閣誕生の牽引車になった二階幹事長は中国通、親中派と言われている人ですから、外交政策的には安倍政権のような価値観外交ではなく、近隣アジア諸国にも親和的な路線でいくと思います。

上念　対中親和路線的なイメージは、少なくとも安倍政権と比べて高いですね。

篠田　外交安全保障の面から言うと、超大国中国に日本が単独で立ち向かっていくとか、やたらめったら文句を言うのは非現実的だということも、一つの現実なんですね。やはりアメリカとの同盟関係を基軸にしながら、インド太平洋構想も進めていったうえで、中国とも付き合っていくことしかない。

石破さんは、基本を日米安保堅持に修正したとしても、実際にそれが相手に伝わるように振る舞えるかどうか。「堅持」といっても、目の前の現実に足をとられて堅持できなくなることもあります。アメリカ側にもいろいろな意見があるし、大統領選挙後の情勢も不透明です。同盟関係は、双方で大変な努力をして、ようやく堅持できるものなので、「アメリカも、中国にも」といったフワフワしたことを言ってほしくなかったですね。

上念　石破氏は産経新聞のインタビューに答えて、まさにいま、篠田先生がご指摘の通りフワフワしたことを言っていました。「歴史認識の問題はあるけれども、相手が我々のことをどう思っているのかを、我々はわかっているのか」という主張です。どちらの立場に立ってものを言っているんだ、という気がしますね。

特に朝鮮半島の問題に関してなんですけどね。「相手にどう見られているかを、我々が完璧に理解してるかどうか」なんて、どうでもいい話ですよね。まず我々の価値観をきちんと打ち立てて、「日本はこういう国で、こういう価値観を大事にしているんだ。お宅はどうなんだ？　一緒にやっていけるのか」と主張するのが、外交のあり方だと思うのです。なんでそんなに近隣諸国、特に北朝鮮なんかに配慮しなければならないのか。石破さんは「北朝鮮に対しては、まず平壌と東京に連絡事務所を設置する」などとも語っていましたが、これは、先に外交関係を開いてから、拉致被害者の奪還を求めるという論理ですから、非常に筋が悪い。これは北朝鮮の工作員ではないかとさえ思える有田芳生参議院議員のような人が主張していることで、それを踏襲するなんて、「石破さん、センスないねぇ」と思わざるを得ませんね。

要は、石破さんという人は、特に何かやりたいわけではなく、目の前の人を喜ばせようとしたり、気に入らない人の逆を言おうとしているだけです。実にフニャフニャしている印象しかない。英語がしゃべれないというスペック面では、菅さんと大して変わらないかもしれませんが、ブレてる、フニャフニャしてるという点で、外交上とても危険な人だと思っています。

欧米も日本の「価値観外交」を求めている

篠田　いまおっしゃったことはとても重要な点で、安倍政権は、外交安全保障面では成功したと私は考えています。外交安全保障は日本国民自身にも重要なものだという認識がありますから、その期待に応えてあげることが大事です。安倍外交の特徴の一つが、価値観外交と呼ばれたものですね。

上念　その通りだと思います。

篠田　日本にとって意味のある外交安全保障政策とは、国際社会での日本の位置づけを安定的なものにしていくことです。冷戦時代の日本は、アメリカの安全保障の傘に依存しながら、国内のイデオロギー闘争に目配りして、価値観を問われる思想的問題に立ち入っていくことはしませんでした。

しかし安倍前首相は、「法の支配」「人権擁護」など、自由主義的な価値観を好んで語りました。自由の素晴らしさを守り、法の支配を確立し、国際秩序を形成していくために貢献するという姿勢、これは従来の日本人が苦手にしていた国際社会の価値規範に対するメッセージを積極的に行ったものだと評価できます。これが価値観外交です。

これによって自由主義陣営の各国から、重要なパートナーと見なされるようになった。安倍首相は、真剣にそう発信していて、彼が言うのなら日本は本気なんだろう、と海外諸国も納得してくれていました。

いまは冷戦時代と違って、アメリカもヨーロッパも、法の支配の重要性を語る日本を求めている。アメリカ、ヨーロッパも相対的地位が低下しているので、自由主義陣営の老舗である日本が、国際秩序を支える基本的価値を語ってくれることで心強い思いをするからです。日本がアメリカを凌駕する経済大国になるのではという懸念は、もう誰も抱いていませんから、安心できる範囲内で、日本というジュニアパートナーが、自分たちを助ける発言をしてくれるのは大歓迎です。

この構図に安倍首相はピッタリはまって、国際的に日本に期待された役割をうまく演じました。今後も、法の支配、自由、人権を守る姿勢から外れてはいけない。そして、それを地域的に体現するものとして「自由で開かれたインド太平洋（FOIP：Free & Open Indo - Pacific）の外交の成功を継承していってもらいたいものです。

従来から同盟関係を持ってきたアメリカ、その外周である欧州、そして最近、さらに「インド太平洋」構想で関係を深めてきたオーストラリアとインドが、安倍首相時代に重要なパートナーとして特筆されるようになりました。それらの国々との関係強化を安定的に進めていくことができれば、これが日本の国益にもかないます。

そういう認識で、土台をしっかり固めた上で、中国とも付き合っていく。そういう立ち位置をはっきりさせる戦略を、今後もとっていただきたい。そして、何でこれが成功したのかという観点から、歴史的な背景や、現代国際社会の現状を、しっかり分析してもらいたい。

もちろん成功したのは、安倍首相が単にゴルフが好きだったからではなく、国際社会、国内社会の状態が招いた必然であったからです。

ルトワックが語った「日本がいることの有益性」

上念　僕はいまから五～六年前かな、外交評論家の加瀬英明さんのご自宅に招かれて、そこでアメリカの政治学者、エドワード・ルトワックと食事をしたことがあるんです。そのルトワックがいみじくもいま、篠田先生がおっしゃったようなことを言っていました。たとえばアメリカがインドと直接話をしようとしても、冷戦時代からの因縁もあって、なかなかうまく話ができないんだそうです。ところが間に日本が入ると、インドはとても日本に友好的なので、スムーズに話が運ぶ。そんな形でアジアの国々と良好な関係を保ち、日本が一つのハブになって、その日本と繋がっているアメリカにも利益をもたらす。これがアセット（財産）になるから、むしろどんどんやってほしいと思っている、そんな話をしたんですよ。

するると、そこに同席していたある大物政治家が、「アメリカはそんなこと許すのか」とびっくりしていました。「いつも日本が何かやろうとすると文句ばっかり言っていたのに」と恨み節を言うので、「いや、過去のことをグチャグチャ言ってもしょうがないですよ。いまこの状況を考えれば、ルトワックさんが言っているとおり、日本がそう動くことが、アメリカのメリットだと思います。この話は信じていいと思いますよ」と答えたのを記憶しています。

一九五〇年、世界のGDPの三割をアメリカが占めていましたが、いまは二五％ぐらいに下がっています。日本が積極的な役割を果たしてこの穴を埋めてくれるのは大変有難いはずです。戦前のようにアメリカを敵視する軍国主義者や、コミンテルンに煽られた威勢のいい若者とかが跳梁跋扈《ちょうりょうばっこ》する時代ではありませんから。極左の跳ねっかえりもほぼ全滅して過激派もほとんどいない、そういう成熟した開かれた社会である日本が、国際社会における役割を自覚して、安全保障の枠組みの中でどんな貢献ができるかを真剣に考える時代になっています。憲法の制約もありますが、その中でどう貢献ができるかを考えながらやっていくことはとても大事です。

大きな成果を残した安倍外交

上念　なおかつ安倍総理は安保法制も実現したし、特定秘密保護法も通しましたし、日本の体制の不備の補完に尽力してきました。その方向性があったからこそ、日本に安定した社会が実現した、そういう総括が必要だと、私は思います。

菅さんは少なくとも、この路線は継承する気満々で、あとは実際にちゃんとできるかどうかですが、十月のポンペオ長官との会談でその方向性は確認できました。

篠田　いま上念さんがおっしゃった中でインドの例をあげられましたが、インドは、やがて人口で中国を凌駕し、二一世紀の超大国になっていく国ですから、日本としてもそこに布石を打ち、友好を築いておくのは実利にもかなっています。さらに中東やアフリカも、こちらはインドとは違う位置づけですが、同じような構図があります。

アメリカは冷戦終了後の一九九〇年代、湾岸戦争の後、中東に史上かつてないほど大きな影響力を行使できるようになりました。それでパレスチナ問題解決のためにオスロ合意など、クリントン時代の路線を踏襲して解決しようとしたが、うまくいきませんでした。逆に対テロ戦争に突入してドツボ状態にはまっていくのです。もうこの対テロ戦争でアメリカが全面的に勝利をおさめるなんて、誰も思っていない、アメリカ人自身も思っていない。それなのに誰も止める方法もわからないという泥沼状態です。トランプ大統領の重要課題はアフガニスタンからの米軍の撤収でした。ずいぶん頑張りましたし、むしろ発作的な撤収を思いとどまったことを評価したいので、二〇一七年に大統領になったにすぎないトランプ大統領を責めることはできませんが、達成できていません。

日本としては、ここに大きく関わって「私が助けます」などと言えるはずもないし、アメリカもそんな役割を日本に期待していない。しかし、弱体化したアメリカを助けてあげればアメリカに感謝される。そのスタンスで中東やアフリカ問題に協力するのは、歓迎こそされ、決して反対されるものではありません。

イラン政策などでも、安倍首相のイラン訪問が注目されましたが、実際に訪問して直接話をし、チャンネルを作っておくことは、外交的な意味があります。でもマスコミは会った翌日に「合意文書がないから失敗だ」と批判する。それは無理です。破綻しないようにプロセスを管理していること自体が、基本的には成功なのです。アメリカはアメリカの役割を演じざるを得ず、アメリカができない役割を、日本がアメリカの意向を汲みながら的確に補うことで、アメリカにもイランにも歓迎される。そうして日本の国際的な地位が堅固になれば、日本国民の利益にも繋がっていきます。

安倍政権は、外務省に対しても親和性があったと思いますが、外務省というのは二国間関係を重んじる地域課も強いですから、どちらかというと保守的な方向に行きがちで、何かやろうとすると「中国の顔も立てないと」と官僚が色をなしてくるという印象があります。

外務省的な発想で開かれる会議は、担当局の人たちを呼んで意見を聞くことに終始します。「チャイナスクール」に属するような人たちは、北京からの情報を基盤に発言します。北米局の人たちはアメリカ情報。省内の総合的な力関係で言うと、基本は北米局の意見が強いのが伝統だとは思いますが、やはりアジア局の雰囲気を無視はできません。

安倍首相は、時には外務省的な保守的な立場よりは、少し踏み込んだ立場をとっていたと思いますが、それでも外務省から離反されなかったのは、価値観外交の大枠の考え方がブレていなかったからだと思います。「中国を相手にウイグルという単語は絶対発言してはいけません」という向きには、「いや、ときどきは口に出してもいいんじゃないの?」くらいのスタンスを持っていたと思います。

そんな形で、「アメリカに対してもちゃんと言いました」と胸を張れる立場を貫き、信頼を勝ち取るスタンスがあったのは、安倍外交の強みでした。それは外務省から見ても心強かったはず。たとえ外務官僚が「大丈夫でしょうか?」と慎重な意見を出したとしても、「いやこれぐらいやろう」と断行するのが政治家の役目です。

上念 それと同じことを菅さんができるのかどうか……。

篠田 それは未知数ですが、できれば踏襲してもらいたい。価値観外交を前面に出すぐらいのほうが実はうまくいくということを経験則として、自信を持ってやっていただきたいですね。

日本はアメリカの意を汲んで中国と向き合う

上念 安倍首相は、中国と対立し続けてきたかのように言われていましたが、中国と正々堂々と渡り合ったことによって、向こうも日本側の態度が予想しやすくなり、結果としては、むしろ平和な時期が続いたのだと考えています。

篠田　おっしゃるように、相手が計算できる自分を見せておく、というのは、とても大切なことです。「歴史の負い目があるので、あなたに合わせます」とだけ言って、自分が何を考えているか説明しない人、調子のいいことを言っていても、いざとなるとすぐに機嫌が悪くなったりする人は、付き合いにくいですね。集団作業である外交の場では特にそうです。「平和」ということにはいろいろなニュアンスがありますが、私の言葉で言えば「安定的な管理」ですね。仲違いの歴史が長く、構造的に仲良くなれそうもない国と、急に親友になろうとしても……。

上念　そんなの、できるわけない。

篠田　でも戦争するわけにいかないじゃないかと言えば、もちろんそうなのです。でも「このあたりぐらいまでという形で、上手に付き合えればいいんじゃない？」というところを目標にして、そのプロセスを管理していくことが大事です。

上念　安倍首相は基本的に、それができていた人ですね。

篠田　中国との関係でも、中国は「日本はアメリカと絶交して我々の部下になれ」とは言っていない。中国も現実はよく踏まえています。「これは無理だけど。これなら可能」という話を建設的に提案していくことが重要です。安倍首相は、かなりの程度までそれができていたと、評価していいと思います。

上念　今後は米中対立がますます先鋭化していくと思いますが、おそらく米ソ冷戦時代と同じように、途中でデタントを挟んで、緊張状態にあったり、緊張緩和したり、を繰り返しながら、このまま中国が滅ぶまで対立が続くのだろうと、私は思っています。日本はそのアメリカが管理する〝マラソン〟の途上で、緊張が高まるときも緩和のときも、全同盟国と連携して動くという形で、このプロセスの管理の中に入っていくのが、やはりベストなわけですよね?

篠田　アメリカでは今回の新型コロナ騒動もあって、以前にも増して中国脅威論が高まっています。安全保障上の脅威が明白なので、相当踏み込んで中国への警戒を強めていかなければならないと考えています。日本もそれを感情的に捉えることなく、「アメリカの立場からしてみると当然」という認識は持っておくべきですね。

もちろん、アメリカが今日明日、中国と一戦交えたいと考えているわけではなく、放置はできないから強い姿勢を打ち出すというスタンス。「アメリカが言わずして誰が言うんだ！」という、そんな役割分担の中で正当な主張をしているという要素が、相当あると思うのです。なにも日本が、アメリカの代わりに言う必要もない。それが役割分担という意味です。アメリカの意向をくんだ上で、中国と本気で戦争したいと思っていないアメリカを、淡々とビジネスパートナーとして見極めていく。

日本としては、アメリカの意向をくんだ上で、戦争を回避するための役割を自分の立ち位置に応じて果たしていけば、アメリカが言ってることと多少違っていても、アメリカ人は素直に役割分担を認め、大歓迎してくれます。対中政策でも、それをやればいいいということです。

安倍前首相を外交最高顧問に据えよう

上念　安倍さんがやっていたのは、まさにそれですよね？

篠田　そうなんです。そこをうまく見極めていくためには、総理大臣が学者のような分析をしなくてもいいので、新型コロナの場合と同様に、そばによいブレーンを抱えればいいんです。上念さんがおっしゃったように、菅政権がいい外交ブレーンを置けるかどうかが、一つの見極めどころになります。

上念　類いまれなるブレーンがいるじゃないですか、安倍前総理という。

篠田　前の総理を外交ブレーンに据えるという形は、いままでの日本にはないですからね。いわゆる院政みたいな印象を与えてしまうのが懸念材料です。

上念　でも、安倍総理は首相経験者である麻生太郎を、財務大臣兼副首相という異例な形で置いていましたよ。

篠田　少し彼に振り回された感がありますが、彼を外すとこの政権が崩れてしまいかねないという事情で、約八年にわたって維持し続けた。これはある意味で足かせでもあったけれど、安定の材料でもあったということですね。麻生太郎の持つプラスとマイナスのうち、プラス面を活かして、ボスとして活用し続けてきたという面があります。

菅首相も同じように、既成概念にとらわれずに安倍首相を活用していければ、それはいい選択になると思います。ただ、安部首相は病気で辞めた方なので、首相補佐的な役割を、どこまでお願いできるのかは微妙です。

上念　公的な立場のアドバイザーは無理かもしれませんが、菅首相個人がちょくちょく安倍さんに連絡を取って、「プーチンがこんなこと言い出しているのですが、意図はなんでしょうか？」とアドバイスを受けることは可能だと思います。そういう繋がりでもいいので、安倍前総理がこの約八年間で培った知見を菅新総理は活用してほしい。そして、日本外交としては戦前以来、久々の、外交上において非常に稀有な、大きな立ち位置にあるということを認識して、このレガシーを活用していただきたいものですね。

中国が日本との関係改善を熱望した

上念　その外交問題では、直近の課題は二つあります。まずは習近平の来日をどうするか。もう一つは韓国・北朝鮮問題です。この「ディスカウントジャパン・キャンペーン」のような状態がいつまで続くのかという問題。

菅政権は安倍路線継承ということですから、習近平訪日はとりあえずなくなったと考えていいでしょう。もう一度、議題に登るまでは放置していればよい。そして朝鮮半島の問題については、相手側の出方次第と、僕は見ていますが。

篠田　習近平問題については、一度延期になっているので、このままもう一年ぐらいは触れないでおくしかないでしょう。「一年間黙っておくのが俺の役割だ」と、菅さんがそれに徹すれば、それはそれでいいのですが、ちょっと物足りない感じがする。そうすると、もし菅政権が短命だった場合には、次の人は苦労するでしょうが。それから、すでに巷でだいぶ言われていることですが、親中派の二階幹事長の動きは気になります。「正式に中止」という選択もありますが、そうすると理由を示す必要が出てきます。表明するためのきっかけも大事で、それが整えば正式表明もいいと思いますが、なければ十年ぐらい延期し続けても、それはそれでいいという心構えくらいが望ましい。

上念 中国にとって、習近平が訪日するメリットは何なのでしょう？

篠田 明らかに日中の関係改善です。中国側がかなり強く望んでいます。その期待に応えるという、受け身の要素も相当あると思うんですね。

上念 中国は本当に関係を修復したがっているんですか？

篠田 そうです。米中関係の緊張が増す中で、中国は強硬な姿勢で対応すると表明していますが、本心ではアメリカとの関係悪化を望んでいません。やはり落としどころを狙っています。まだ本気でアメリカと戦争したいわけではなく、戦火を交えるにしてももう二十年ぐらい先、という段階。そのためのクッションが必要で、日本に「アメリカと喧嘩してくれないか」とは頼めないまでも、「日本と建設的関係を構築できる中国」というのを見せておくことが、アメリカに対するカードにもなるということです。

よく言われていますが、日本と韓国の間は非常に感情的で、歴史問題そのままのストレートな関係なのですが、中国は徴用工問題が再燃している場面でも、韓国と距離をとるスタンスを取り続けています。日本政府からすると、中国に韓国の肩を持たれると、ちょっと厄介だという雰囲気になるのですが、「うちと韓国はちょっと違いますから」というスタンスを中国がとってくれているのは、事情をいたずらに複雑化させないという意味で、日本にとってはありがたい。だから中国が「ちゃんとお宅にも気を遣って、韓国を一定程度突き放していますよ」と言えば、「中国さん、それはありがとう」という会話はせざるを得ません。

上念　韓国を共通の媒介にして、腹を探り合っているということですね……。

篠田　難易度が高かったので宙ぶらりんになっていますが、うまくやれるんであれば、やればいい。トランプ大統領が来日したときのように国技館で一緒に相撲観戦をするといったことは、中国相手ではあり得ないですし、やってはいけないです。もっとクールでライトな感覚の国賓来日もあり得ます。それでお茶を濁せるようなら、淡々とそれを実行するのも一つのオプションでしょう。でも、そのチャンスが訪れなければ、延期し続けるしかないと思います。その間に米中対立が悪化し続けたり、あるいは予想外の出来事が勃発した場合は、この話自体をいったん白紙にすることになります。

上念　そういう意味で言うと、尖閣列島をめぐってもし不測の事態が生じた場合は、習近平の来日は間違いなく吹っ飛びますよね？　ということは、中国自身がそんなエスカレーションを望んでいないということなんですか？

篠田　そうでしょうね。「プロセス管理」という言葉を使いましたが、国家が直接関与しない形での尖閣諸島領域への中国船舶侵入が、いま増えています。これについては様々な見方があって、「必ずしも共産党政府が後押ししているわけではない」という意見もあり、一方で「そんなことはない、ちゃんとコントロールしているはずだ」という反対の声など、諸説あります。現実は政府が適当に牽制球を投げながら、「我々も最悪の事態を望んではいないので、きちんと管理する意志はありますよ」といったシグナルは送ってきています。そういう玉虫色の状況を、中国政府が作り出しているんですね。

対する日本政府も玉虫色で、習近平来日で国賓待遇を考えていたのに、本当に中国は、日本に友好的な姿勢を見せ続けてくれるのか？　それが怪しいので延期させてもらった、ということでしょう。中国が日本に対して引き続き友好的で、尖閣の問題も誠意を持って対応するというのだったら、国賓として招きますが、現時点ではよくわからない。

そこで「よくわかりません」というスタンスを取り続けるのが、現状では妥当なプロセス管理。そして中国が尖閣問題で新しいステップをとってきたら、当然、他の政策もそれに反応するし、国賓来日もその一つになってくる。したがって逆に言えば、中国がプロセス管理を放棄しない範囲内で、「嫌になりましたから白紙に戻しましょう」などと言い出してしまったら、相手も「なんでいま、そこまで踏み込むの？」という反応を示すはず。相手の様子をうかがいながら、一つのカードとして処理を決めることになりますね。

中国は尖閣カードを決して手放さない

上念　なるほど。いまの篠田先生のお話でよく理解できたのは、「二〇二〇年八月十六日以降禁漁期間が明けると、尖閣列島に中国漁船が大挙して押し寄せる」という煽り記事が産経新聞の一面トップに掲載されました。実際は誤報だと、海上自衛隊元海将の伊藤俊幸さんが指摘していました。まさに中国側から見たプロセス管理を考えると、漁船がそんなに大挙して押し寄せたら、コントロールできなくなるかもしれない。だから抑えたんですね、混乱を招きたくないでしょうから。

篠田　中国は、尖閣カードを決して捨てません。日本が要求するように、中国政府が尖閣諸島は日本領だと認め、漁船も一隻も送らないということになるかと言えば、そんなことは決してありえません。超大国としてのプライドがかかっていますから。

日本も公式にはそれを求めているのですが、内心では難しいだろうという現実をよく理解しています。そこで、そんな危うい状態の中で、一種の〝揺さぶり〟として、国賓来日というカードを考えていくということになるでしょう。

上念　ということは、中国側が共同で気象観測所を造るとか、海洋研究センターを造るとかいう提案で牽制してきても、それに乗ってはいけないということになりますか？

篠田　すでに布石を打っていて、やれる自信があれば、絶対NOではありませんが、やっても成果が見込めないのなら、きっぱりと断念すること。「あと一カ月で目に見えた成果が出せる」とか「最後の一押し」という時期なら別ですよ。私はその現状を把握していませんが、北朝鮮問題でも、「平壌に事務所を造ったらいいことあるんじゃない？」という感覚で話に乗ってしまうのは、あまりよくない。管理できないものを増やしていくと、リスクと負担だけが増加します。

上念　菅政権でも、尖閣問題の現状維持や対中関係の基本は変わらないですね。ただ、基軸は安倍政権継承なので、基本は日米同盟プラス豪・印が、いまの主要プレーヤーになりますね。

篠田　事実上、中国の「一帯一路構想」の包囲網を作っていくというイメージ。でも外務官僚は「いやそういうものじゃない」なんて煙幕を張っています。日本政府は、公式には中国封じ込め策は取らないということにしていますけど、そんなこと……。

上念　誰も信用する人はいない（笑）。

篠田　日本もアメリカも、インドが味方に引き寄せたい最大の相手であることは間違いない。中国に対抗する上でもそれは不可欠。その認識をしっかり持って、政策を統一して体系的な路線の中でコントロールしていくのは骨が折れる作業です。トップに明確な意志がないと、部下も途中で投げ出したくなる。「なんで俺だけこんな冷や飯食わなきゃいけないんだ」と嫌気がさしてしまいかねない。トップが責任を持って宣言していくことには、計り知れない重要性があるので、菅さんはそれだけやってくれればいいと思うんです。

第二の谷内正太郎を探せ！

上念　やっぱり、安倍前首相に外交アドバイザーに就任してもらうしかない（笑）。

篠田　安倍政権の中には元外交官の谷内《やち》正太郎という人物がいました。国家安全保障局創設に力を発揮した人ですが、政権にとって、彼の存在は非常に大きかった。外交のプロ中のプロですよ。我々学者から見ても、言っていることが実にしっかりしているし、その上、外務官僚にも顔が利いて、人間関係も全部押さえている、理想的なブレーン。新型コロナに際して、尾身さんと安倍首相との関係のようなものが、外交問題において安倍さんと谷内さんとの間にあったと思います。谷内さんが定年退職してから、安倍首相の外交姿勢もちょっと不鮮明になってしまいました。実はほぼ同時に、内閣官房副長官補で国家安全保障局次長も兼務していた外務省出身の兼原《かねはら》信克氏も退職された。兼原さんは安倍首相と同じ山口の出身で、価値観外交に深くコミットしていました。安保法制の制定にも尽力されましたね。谷内さんと兼原さんがいなくなったのは、第二次安倍政権にとっては大きかったと思います。

上念　なるほど、菅政権もそんな形の国際的な人間関係に人脈のある人、国内の外交通を押さえているような、理想的なブレーンを探すべきですね。

篠田　我々、国際政治学者から見ると、安倍外交それ自体が鈍化してしまったという印象があります。首相がやらなければならないことを、すべて一人でこなせるわけではない。ある程度実務側のことも踏まえ、なおかつ自分の意向を踏まえて動いてくれる腹心のブレーンがいなければ、うまくいきませんね。でも、谷内さんの後、それに代わる人材がいなかった。そこで台頭してきたのが今井尚哉補佐官や経産省系の人たちです。

上念　彼らが中心になって、すべてを押し切ろうとする形になりましたね。

篠田　菅政権への期待としては、菅さんが安倍首相の人材活用法を勉強できるのなら、それを踏襲すればいい。河野太郎を行革担当大臣に据えたのはヒットですが、他はどうか……？　でもそれとは別に、実務レベルで顔が利くブレーンがつくれるかどうか。菅政権が長期政権を意識せず、短期間のピンチヒッターに徹すると、あえて波風立てようとはしないかもしれません。安倍首相は最初からやりたいことがあって、できれば長期政権へという意欲がありましたから、まず自分のブレーンをしっかり固めていった。菅さんがどうなのか、現段階ではまだ不明ですが、「暫定」だって重要でないということはありません。

上念　思ったより評判がいいですし、内閣支持率も高いので、菅さんは案外、長くやるかもしれませんよ。

篠田　それならそれでいいんですよ。一年だと思ったら七年やったとしても、それが成果につながるのだったら、誰も損をしない。でもそのためにも、役に立つブレーンが不可欠です。もちろん、ブレーンはあらゆる分野に必要なのですが、特に自分が不得意で経験がない分野にどんなブレーンを置くかは、他の分野とは比較にならないほどの重要性を持ちます。ブレーンの言いなりになって、途中から何もわからなくなっちゃった、というわけにはいかないですから。ただ、谷内さんや新型コロナにおける尾身さんのような人を見つけるのは、至難の業ですね。

上念　それで尾身さんに頼んで、信頼できる人材を集めてもらうといった図式ですね。

篠田　そうです、押谷仁さんのようなブレーン。そういう人たちを集めておくと、数多くの医師たちも「尾身さんや押谷さんが言うんなら納得ですよ」となります。一部東大系の方とか、厄介な方は残るみたいですけど（笑）。そのあたりが、菅政権の最大の課題ですね。

4

「自衛隊は軍隊だ」がすべてを解決する

日本学術会議と憲法九条の問題

篠田　それにしても菅政権発足後の最初の事件がまさか日本学術会議問題になるとは、予想していませんでした。共産党の『赤旗』から出てきた任命拒否事件は、表面的には「学問の自由を守れ」といった大きな言い方で盛り上げようとする左派系の人々の運動が、果たして一般人の共感を得られるのか、というレベルの問題でした。

上念　桜を見る会と同じパターンでしたね。

篠田　ただ、あえて言えば、問題の背景には、日本社会の複雑な構造があります。日本学術会議は強い共産党の影響下にあった団体です。現在でも共産党系の学者が常に一定の割合で存在する仕組みになっています。任命拒否にあった六名の学者のうち三名が、共産党系の民主主義科学者協会法律部会（民科）に属する法学者の方々でした。二〇一七年に日本学術会議が「軍事的安全保障研究に関する声明」を発して、全国の大学に軍事安全保障にかかわる研究をしないように働きかける影響力を行使していった際、声明文の起草に当たった委員会にも、二名の民科の法学者が入っていました。

上念 私もそのことを自身のYouTubeチャンネルで取り上げました。マスコミは肝心なことを報じていないと思います。

篠田 メディアは任命拒絶にあった学者たちが全員二〇一五年安保法制に反対していたという報道の仕方をしました。それは確かにそうなのですが、問題はさらにもっと深いとも言えます。二〇一七年の「声明」は、一九五〇年の「戦争を目的とする科学の研究は絶対にこれを行わない」声明の伝統を改めて「継承する」という内容になっています。まだ自衛隊も創設されていない時期の占領下の日本において採択された声明の伝統を、七十年近くたって改めて再確認しようというのですから、大げさです。二〇一七年の「声明」は、日本学術会議の総会ではなく十二名の出席者の幹事会で決定されたもので、同会議内に存在していただろう異論もやり過ごされた形でした。

上念 そのディテールも重要です。でも、マスコミはまったく報じてませんね。

篠田 大学人は「多様性が重要」とか「少数者の意見を聞こう」といったことを語ります。これは「多数者のほうが力が強い」という前提の話ですね。現実には、運動家の方々が継続的に特定の組織の支配を企てた場合、むしろ多数派のほうが従わされるという現象が起こってきます。任命拒否された民科の法律家の方々が、「学問の自由」という憲法上の原則を持ち出して、政府に抗議したのは象徴的です。憲法という少数者の権利を守ってくれる法律は、少数者が多数派を支配する際、最も有効に活用できるツールになるのです。

かつて戦前には、軍部指導者が「統帥権干犯《とうすいけんかんぱん》」という大日本帝国憲法の規定を濫用した主張を振り回すことによって、内閣の支配から逃れるだけでなく、ついには政府の政策を支配することまで実現しました。

上念 私もそのことを思い出しました。今回の件、そっくりだと思います。

篠田 一度も改正されたことがない点では、日本国憲法も大日本帝国憲法と同じです。運用の利便性のために修正されたりしないため、原理主義を主張する少数者集団によって濫用されがちになっているとも言えます。いみじくも日本学術会議事件は、「学問の自由」という憲法原則を事例に、その危険性も示しました。

ただし、より深刻なのは、憲法九条でしょう。国際社会の中で日本が平和を追求していくための基盤となる条項ですが、少数者集団に乗っ取られてしまっています。そのため硬直したおかしな九条解釈が、安全保障政策を停滞させ続けています。多数者がその状況を変更したいと思っても、なかなか変更することができず、少数者に振り回され続けているという状態です。

憲法改正をライフワークのように考え、二回首相になり、五回国政選挙に勝った安倍首相であっても、八年近くの間に憲法を改正することができませんでした。菅首相に短期で結果を出すことを求めるのは、酷なことでしょう。しかし活路はあります。少数派は、憲法の極端な解釈を振り回して、多数派を支配する道具として使っています。そのことに気づけば、やることは、はっきりしています。間違った解釈を、正しい解釈に戻すことです。憲法改正を通じて正しい解釈を実現してもいいとは思います。でも実はそれは絶対に必要なことでもありません。とにかく正しい解釈に戻す覚悟を定めれば、それでいいのです。

上念 そうです。九条問題は、篠田説の解釈を採用すれば、解決します。

改憲不要、「加憲」で充分！

篠田 上念さんは、従来から私の憲法論について、非常に好意的に取り上げてくださっていて、感謝しています。

上念　篠田先生のご著書を読んで、僕の頭の中ではもう憲法問題、ほぼ解決しています。憲法九条に第三項を設けて、「第三項は1項2項の目的を達成するために軍隊を保有する、以上」と。それでいいと思います。あえて「自衛隊」と書く必要はない。むしろ「軍隊」と明記すればいい。1項、2項の目的を達成するために必要な軍隊なのですから。

篠田　そういうことは他人の口から言っていただければありがたい（笑）。もちろん、自分でも堂々と主張しますが、私がやるとどうしても我田引水のようになるので。

上念　篠田先生の意見を汲んで、「国権の発動たる戦争」と国際秩序を守るための「制裁としての武力行使」は違うと、僕は最近、周囲に説明しているんですよ。

篠田　憲法上、それは明確に区別されているのに、道理がわかっていない。例えばイラク戦争、確かにあれも一般人の言い方をすれば戦争なのですが、「国際秩序を乱すものに対する制裁としての武力行使」なので、日本国憲法が禁じている戦争ではない。世界各国が制裁に動こうとするときに、「自分だけはやりません」という理屈は通りません。

上念　日本国憲法をよく読めば、「武力行使」全般を禁止しているわけではないことがわかりますよね。おかげで、僕の周囲はだいぶわかるようになってきました。しかし、菅新内閣誕生で、憲法改正問題はどうなるのでしょうか？

篠田　安倍さんは志半ばにして退陣されたので、やり残した最大の宿題である憲法改正に、菅内閣は立ち向かう気があるかどうか、気になりますね。私の頭の中では、煽り系専門家の人たちが強硬に反対している九条改憲問題は、日本の社会の病理の縮図だと思います。国際政治学者としては、菅政権には、期待と不安があります。

安倍前首相は父親や祖父の影響を強く受けていて、憲法改正が持論でした。一九六〇年の安保改定の際の首相の岸信介を祖父に持っていることへの思い入れは強かったようですね。「たとえいま評価が得られなくても、十年経って評価されるのが政治家というものだ」という立派な心掛けを持っていた。それだけに、任期途中での退陣は、痛恨の極みだったでしょう。

上念　でも、せっかく緊急事態法を制定させたのに、改憲への道筋に対しては途中から、やや逃げてしまったような感がしますね。

篠田　どうしてでしょうね、「自衛隊」の文言を明記するというあたりから、多少、妥協案のような感じになってしまった。私自身は「自衛隊」という文言ではなく、はっきりと「軍隊」と明記してほしいと思っていましたが、どこかで妥協して改憲案をまとめ上げようとして、かえって迷走が始まったような気がします。公明党の意向を汲んで妥協したのかもしれませんが、「危機対応」「緊急事態条項」から一気に改憲まで持っていこうとする意欲が消えてしまったようですね。何のために憲法改正をするのか、公明党の顔色をうかがうという、手段が目的化してしまった形で、迷走状態に入ってしまった……。

安倍首相の跡を継いだ菅総理がどう対応していくかですが、「危機に備えあれば憂いなし」の基本に返って、論争を盛り上げていくべきです。論争が華やかになれば、国民の安全保障に対する関心が戻ってくると思います。

上念　憲法改正はもう、棚上げになってしまったのでしょうか。私は篠田先生の著書に目を通しているので、「憲法を改正せずとも軍隊は保有できる」ということがわかっているのですが……。

篠田　改正しなくても、自衛隊も、集団的自衛権も合憲です。

上念　ただ篠田先生が論説の中で語っていたのは、「解釈の余地が残るような曖昧な規定があることが問題だ」ということですね。それを確定させる意味で、九条に第三項を加憲することは悪いことじゃないと。加憲するなら、「第1項2項の目的を達成するために軍隊を保有する」と書けば、それでよしと……。

篠田　加憲するなら「軍隊」と明記すべきでしょう、本当は。自衛隊といった特定の組織名を書くのは〝筋が悪い〟。

上念　すると「東大憲法学」の人たちが「解釈不能だ」なんて抵抗するかもしれませんが、彼ら自身も解釈をコロコロ変えているんですよね。結局は、「国際秩序と調和する憲法体系」ということになるのでしょうが、それでも安倍首相は「解釈の余地が曖昧になっている」ということ自体に我慢がならなかったのでしょう。だから「自衛隊明記」にこだわった。

九条が謳う「名誉ある地位」とは？

篠田　日本国憲法は、これまで一字一句変更されていない、世界史でも稀な「超硬性憲法」です。だから悪いとまでは言えないのですが、問題は、日本国憲法が謳う「国際協調主義」にどう即していくかです。憲法前文は「われらは、平和を維持し、専制と隷従、圧迫と偏狭を地上から永遠に除去しようと努めてゐる国際社会において、名誉ある地位を占めたいと思ふ」と、重大な決意を述べていますが、その「名誉ある地位」をどうやって占めていくかという問題だと思います。

とかく「名誉ある地位」というと、「憲法九条は世界に比類なき理想主義条項で、だから日本はすごい国なのだ」と信じたいという〝ロマン主義的願望〟がすぐ出てきます。しかし実はこれが、憲法九条解釈の最大の障害になっているのです。

上念 と言いますと……。

篠田 そういう〝自己陶酔〟のような名誉ではなく、もう少し常識的なこと、国際法を遵守《じゅんしゅ》する、国際法の支配を国際社会に広める努力をする、といった堅実なところから、名誉を目指していくことが必要なのではないでしょうか。

上念 なるほど、それが世界平和にも寄与する道ですね。

篠田 日本が〝世界最先端の国だから〟九条があるのではありません。かつて日本は他国を侵略して泥沼の戦争に陥り、悲惨な結果を国内外にもたらしましたが、日本国憲法はこの反省の上に立ったものです。そこで目指すのは、日本が二度と国際法から逸脱した行動をとらない国になる、ということです。

二一世紀の現代世界では、残念ながら紛争が絶えません。それに対して国連、地域機構、もろもろの諸国のイニシアチブは、制裁を含めた多角的な国際の平和と安全の維持のための活動を行っています。日本も国際社会の一員として平和構築活動の一翼を担い、二度と紛争が再発しない世界を作るために寄与することが求められています。憲法改正は、そのための活動の根拠を明らかにするためのものです。

「戦争放棄」「戦力不保持」の本当の意味

上念　憲法九条には、こう書かれていますよね。

「日本国民は、正義と秩序を基調とする国際平和を誠実に希求し、国権の発動たる戦争と、武力による威嚇又は武力の行使は、国際紛争を解決する手段としては、永久にこれを放棄する」。そして第2項として、「前項の目的を達するため、陸海空軍その他の戦力は、これを保持しない。国の交戦権は、これを認めない」という文言が入っていますよね。

篠田　私の著作『ほんとうの憲法』（ちくま新書）、『憲法学の病』（新潮新書）、『はじめての憲法』（ちくまプリマー新書）に書いてきたことですが、あらためて少しだけ詳しく説明させてください。前文から連なる憲法九条の意図は、国際法を遵守して、国際の平和と安全に寄与することです。戦前の日本は、国際法から逸脱した行動をとり、破綻した。そこで、武力行使を禁止した国際法の遵守を、日本は国内法でも宣言しました。それが九条1項の「戦争放棄」の明記です。

第1項では「国権の発動たる戦争」という文言が入っていますが、これは一九二八年のパリ不戦条約で違法化されている行為のことです。「国際紛争を解決する手段としての武力による威嚇又は武力の行使」は、一九四五年に発効した国連憲章二条四項で禁止されているものです。

前者についていえば、不戦条約の再確認という意味があるでしょう。日本は不戦条約に加入していたにもかかわらず、そこから逸脱して、侵略を仕掛けました。そこで不戦条約を遵守する姿勢を明確にするために、国内憲法にも不戦条約と同じ規定を入れて、拘束力を高めたというわけです。

後者についていえば、国連憲章が憲法起草の前年にすでに成立していたとしても、占領期の日本は、まだ国連憲章体制に入っていなかったという事情があるでしょう。より根本的には、戦前の日本が国際法を破り、独りよがりの「国家の基本権」としての「国権論」の思想にもとづいて、侵略行為を正当化しようとしたことへの反省があるでしょう。そこで、「二度とおかしな国権論を振りかざして国際法を破りません。今後は国連憲章を含めた国際法を遵守します」と国内憲法で誓いました。

このように九条1項が、国際法の遵守を文言で明確に表現しているとすれば、そこで前提にされている法秩序が、国際法に沿ったものであることは、自明です。不戦条約も国連憲章もともに、自衛権を否定しません。なぜなら侵略行為に対する対抗措置としての自衛権は、侵略を抑止し、国際法秩序を維持していくために、必要不可欠な制度だからです。

さて、次に九条2項を見てみましょう。「戦力（war potential）不保持」とは、ウォーポテンシャル、つまり「戦争の潜在力」を持たないという意味です。もともと1項で「戦争（war）」は違法だということを決めていますから、その違法行為である「戦争」をするための「潜在力」を持たないのも自明です。

国際法に沿って文言を解釈すれば、1項と2項の間には自然なつながりがあることが見えてきます。九条2項は、その自明なことをあえて繰り返し宣言して、国際法遵守の姿勢を強調したものです。

技術論的には、連合軍によって行われていた大日本帝国軍の武装解除の根拠を、ポツダム宣言受諾という国際法に依拠したものだけでなく、国内法にも広げるという意味があったでしょう。しかし未来に向かって目的を問わず武装した組織を禁止していると解釈することはできません。なお2項の冒頭に「前項の目的を達するため」という語句が挿入されましたが、これは1項冒頭の「日本国民は、正義と秩序を基調とする国際平和を誠実に希求し」という部分を参照しており、要するに国際法を遵守して行動するために、という意味です。国際法の枠組みにそって九条を解釈すべきことが書かれていると解するべきでしょう。自衛権の位置づけが2項によって変わると考えなければならない理由は、どこにもありません。

上念　でも2項は「国の交戦権」も否認していますけれど……。

篠田　これについては木を見て森を見ないような不毛な論争があります。まず理解していただきたいのは、そもそも「国の交戦権（the right of belligerency of the state）」など、国際法では存在していない概念だ、ということです。この国際法にもともと存在していない概念の存在を「認めない」としても、日本と国際法の関係は何も変わりません。ここから自衛権を禁止しなければならなくなるような事情は、何も発生してきません。「交戦権」という言葉は、国際法ではなくて、実は太平洋戦争中の日本の法学者の信夫《しのぶ》淳平らが使っていたものです。

戦中の法学者が著作活動をするためには、真珠湾攻撃の正当化は必須でした。国際法学者にとって、それは特に大変なことだったでしょう。そこで信夫は、国家は「交戦権」なるものを持つ、それが真珠湾攻撃の根拠だ、といったいい加減なことを書いていました。信夫淳平は戦中の戦時国際法の権威でしたが、時世に迎合して「交戦権」で真珠湾攻撃は正当化できるようなことを言っておきながら、実際には国際法に「交戦権」などという概念は存在していないことを知っていました。そこで「交戦権」の存在の根拠は、国内憲法にある、などと言い張りました。大日本帝国憲法における「統帥権」とかという概念で説明される天皇大権のことですね。天皇大権を根拠にして真珠湾攻撃を遂行した大日本帝国を正当化するために、信夫は、国際的にも「交戦権」なるものを主張できると強弁したわけです。もちろん国際法上の根拠となる条約その他の文書や議論はありません。ただ大日本帝国憲法の規定である「統帥権」を根拠にして、国際法上の「交戦権」を主張できる、つまり自由に宣戦布告をして戦争を開始することができる、と信夫は主張したのです。

今日の国際法で、あるいは当時の国際法においてもそうだったのですが、この信夫のような議論が通用する余地はありません。ただ、当時の戦中の日本では、それくらいのことを言わなければ、自分の生命すら危うい、万が一にも真珠湾攻撃は国際法違反である、などといったことが書けるはずもありませんでした。「交戦権」とは、こうした大日本帝国内の事情を反映した概念です。

GHQ最高司令官のマッカーサーは、戦時中は連合軍太平洋方面最高司令官でしたから、信夫のような議論が戦時中の日本にあったことをよく知っていたのでしょう。そこで部下に憲法起草を命じた際、戦時中の独善的な議論の復活を認めないという意味で、「交戦権は認めない」という規定の挿入を指示したのでしょう。

上念　日本国憲法は、「交戦権」を「放棄」しているわけではないのですね。

篠田　その存在を「認めない」と言っているだけです。存在しているものを放棄するのではなく、戦時中の日本人が言っていた「交戦権」なるものは、実際には現代国際法では存在していない幽霊のような概念で、だからこそその存在は認めない、と言っているのです。したがって、憲法九条2項の交戦権否認は、日本と国際法との関係を、一切変えないのです。

それは、ただ、戦後の日本は、戦前の反国際法の議論の復活を許さず、現代国際法を遵守する、と宣言している条項なのです。ここから国際法上の自衛権の放棄を読み取ることは、不可能です。

憲法学者が陰謀論的に言っていること、つまり憲法九条2項は国際法に挑戦して国際法上の権利を放棄する規定だ、という主張は、まったく根拠がない絵空事でしかありません。したがって九条2項を読んだ後に1項に戻って、実は1項も国際法秩序に挑戦して、自衛権の行使も否定していたのではないか、などと言わなければならない理由は、どこにもないのです。

憲法制定から後に自衛隊の創設が問題になりましたが、そのとき政府は、自衛隊の存在を「九条2項の『戦力』には該当しない『自衛のための必要最小限度の実力組織』」と説明しました。まあこれはこれで維持してもいいのかもしれませんが、すっきりしない表現ではありません。本当の事情は簡明です。九条は、1項と2項とあわせて一つのこと、つまり「国際法を遵守する」ということを言っています。国際法を捨てて孤独に生きていく、などとは言っていません。それどころか「正義と秩序を基調とする国際平和を誠実に希求」することが、九条全体の趣旨です。

つまり、違法行為である「戦争（war）」を行う潜在力としての「戦力（war potential）」の保持を憲法は禁止していますが、戦争を防ぐためには、抑止力としての自衛権という制度が不可決です。したがって国際法では自衛権を行使する際の武力行使は合法です。

自衛権を行使するための軍隊の保持も当然合法なのです。

「前文」から一貫して国際法遵守を謳っている日本国憲法も、自衛権行使としての武力行使をする手段としての軍隊を保持することが違憲になるなどとは、ほのめかしていません。国際法規範に沿った軍隊は合憲です。その軍隊のことを「自衛隊」という名称で呼ぶか、違う名称にするかは、国内通常法で定めればいい。重要なのは、自衛隊は「憲法上の戦力」ではなく「国際法上の軍隊として合憲である」ということです。

憲法学者がいい加減な嘘を言っていることは薄々感づいてはいるけれど、憲法学者は偉い人たちだということになっているそうなので、やむをえず気遣ってあげなければいけない……そういった無用な配慮を容赦なく捨て去れば、すべてすっきりします。幸せは、不要で有害なしがらみを断つところから生まれます。憲法学者の陰謀に引っかかってはいけません。憲法学通説には根拠がないのです。内輪の憲法学者の間の多数決の人気投票の結果を「通説」とか呼んで振り回しているだけです。

「宣戦布告」の有無は無関係

篠田　憲法学者の陰謀の典型例の一つは、不戦条約や国連憲章から引用してきた文言を、まったく違う意味を持つものだと読み替えてしまうことです。根拠は？　ありません。小説を書くように、東大の偉い先生が思いついたことを書きます。すると残りの人たちは「根拠はある。それは芦部《あしべ》信喜《のぶよし》先生の『憲法』だ！」といったことを大真面目に主張するようになります。異を唱えるのは、わずかに京都大学の出身の憲法学者の方々だけです。どちらにしても就職の世話をお願いする必要はありませんから。

　そこで日本の憲法学の業界では、九条1項の「戦争」は「宣戦布告を経た国際法上の戦争」、1項の「武力行使」は「宣戦布告を経ない事実上の戦争」といったことを信じなければ、生きていけない仕組みになっています。しかし、この概念説明に、根拠はありません。より正確に言うと、芦部信喜・東大教授に立法権に近い法概念創造権力が宿っていたと仮定するのでなければ、根拠がありません。

　現代国際法では、宣戦布告などというものに法的効果はありません。武力行使は一般的に違法で、あとは自衛権と集団安全保障にともなう武力行使が当然合法であるだけですから、武力行使の合法性の審査は、自衛権か集団安全保障に該当しているかどうか、だけの基準で客観的に行います。なお、個別的自衛権であるか集団的自衛権であるかに差異はありません。

　ではなぜ憲法学者は、意地を張って国際法の概念に、根拠不明な国際法から外れた空想的な説明を施すのでしょうか。それは先取りしてある結論を何とかして導き出すためです。自衛権の行使は、国際法上の戦争ではないとしても、「宣戦布告のない事実上の戦争」としての「自衛戦争」なので、違憲だ、と言いたいのですね。概念構成から入って論理的に導き出される結論を明らかにするのではなく、結論から入って都合に応じて概念構成を変えてしまっているだけなのです。

上念　制裁の場合、日本が加わるか加わらないかですが、加わるに決まっています。そのためにこういう書き方をしているんだ、と、私は常々説明してきたわけです。

　この篠田説が、そのまま日本国民全員の通説になれば、本当に憲法の改正は不要になります。繰り返しますが、「九条が書いている戦争とは国権の発動たる戦争の意味で、それを犯した国には制裁を科します」という意味で、この二つの武力行使を日本人が区別できるようになれば、憲法改正はいらない。しかし、まだ区別できていないので、解釈上の曖昧さを回避するために、改正が必要なんじゃないかというのが、いまの改憲論議の本質ですよね。そして篠田説が通説になれば憲法改正は不要になるはず……。

そう言ったのは、戦争にはいわゆる「侵略戦争としての武力行使」と「それを制裁するための武力行使」との二種類があって、両者に明確な違いがあることがはっきりしているからです。それは戦後七十五年間、国際社会で認められています。日本人がその国際的な常識を認められるかどうかです。

ただ、「戦争はすべて禁止だから制裁すらしてはいけない」といった意味不明なロジックを展開する「東大憲法学」一派という、常識外れの人たちがいる。彼らの机上の空論に振り回されていることが問題だと思ったんですけど。だいたい、これで合っていますか？

篠田 はい、ありがとうございます、その通りです。それでも改正が必要ではないか、いや、改憲はいけないという議論がどうしても起こるのは、何やら憲法学者のグループを国内社会で有力な存在だと誤認して気を遣いすぎ、あからさまに否定したりして対抗するのは大人げないと気を遣うからなのです。最近の日本学術会議をめぐる議論でも見られましたね。うるさい連中は面倒だから、あえて波風立てなくていいじゃないか、と。しかし、これをやっていると、クレーマーたちは図に乗って、ことあるごとにクレームをつけてきます。もうそうなると、どんなに多数の人がおかしいと思っていても、少数のクレーマーたちが支配する世界から逃れられなくなります。

上念 それでは正しい論議は、永遠に行われないままになりますね。

篠田 日本は、国際法を守ることが正しく、国際法を無視するのは正しくない、という考え方に沿って生きていくのか。それとも、憲法学者が偉い人だから気を遣ってあげなきゃいけない、憲法学者にクレームをつけられると怒った高齢者たちが文句を言いながらデモを沢山するから面倒くさいので避けておくのが大人の知恵というものじゃないか、という考え方にそって生きていくのか。この二つの生き方の間の選択が、日本に迫られている、というのが、憲法九条問題の本質です。

価値外交を進める国として国際社会の原則にそって生きていくのか、あるいは昭和時代の談合政治を美徳として生き続けていくのか、ということです。

「自衛権」は「戦争をする権利」ではない

上念 自衛権の発動は、国際法でも認められていますよね。

篠田 「自衛権」は「戦争をする権利」という意味ではありません。国際秩序を守るために、違法行為に対する対抗措置をとるときに使う概念が、自衛権です。何やら国内法の正当防衛と勝手に結び付けておかしな空論を勝手に展開させるのも、国際法を知らない人たちの議論でよく見かけますが、的外れです。要点は、国際法秩序を守るためには違法行為に対する対抗措置を制度的に保障しておくことが必要であり、それが自衛権と集団安全保障だ、ということです。

自衛権は国家の正当防衛権ではありません。国家に基本権はありません。そんな概念は現代国際法では通用しません。国家の自己保存がどうしたこうしたというのは、日本の憲法学者だけが勝手にやっているガラパゴス的な虚構の中のお話でしかありません。

上念　日本の憲法学研究の〝本流〟である「東大憲法学」の人たちは、そう解釈していないわけですよね。それが憲法解釈を混乱させてきた……。

篠田　「そんなこと聞いていなかった」という理由で、それを受け入れない憲法学者たちは、国際法では禁じていない自衛権と集団安全保障参加を「憲法が禁止している」と強硬に主張します。つまり、憲法が、国際社会と協調して行動することを禁止していると主張します。「集団的自衛権は違憲だ」という主張もこの一環で言われていることです。

「最近われわれも劣勢なのは感じているから、個別的自衛権の行使はクレームをつけるのを控えてやってもいいから、集団的自衛権の行使はできないと言え」、と脅かしている状態なのです。

「自主憲法」にこだわる必要はない！

上念　もう一つ、安倍首相は、いわゆる「押しつけ憲法」を排除して、自主憲法を制定しようとしたとも思いますが。

篠田　それも憲法解釈におけるもう一つのタブーです。でも「自主憲法」にこだわる必要はないと思います。事実、世界各国の憲法は、他国の憲法の影響を受けて制定されたものが多いからです。紛争後の平和構築の一環として、憲法を策定し直す際に、外国人が助言したり、支援を施したりするのは、広範に見られる事例だからです。制定関係者の国籍などは問題ではなく、問題は、「平和を愛する諸国民の公正と信義に値する事例かどうか」という、憲法の理念で判断すべきものです。

占領中に占領軍が国内法を変更するのは、ハーグ陸戦法規慣例という国際法に反する、という議論もあります。しかし当時の人はそう考えていませんでした。なぜなら日本が正式にポツダム宣言を受諾したからです。ポツダム宣言では連合国によって国家体制の変更が要請されており、日本は断固これを拒絶するということをせず、受け入れたのです。「特別法は一般法を破る」ですから、ポツダム宣言受諾によって、ハーグ陸戦法規慣例違反が該当しなくなったのです。

「連合国は、武力による威嚇で無理やりポツダム宣言を押しつけたので無効ではないか」とも言えるかもしれませんが、先に米英に攻撃を仕掛けたのは日本で、米英及びその他の諸国は集団的に自衛権を行使している状態ですので、日本が米英の武力行使の停止の条件となったポツダム宣言の法的効力を否定するのは難しいですね。

憲法に「緊急事態条項」を加えよ！

上念　菅政権も、国家の安全保障面と国際貢献という点では、憲法解釈の問題に真っ先に手をつけなければならないのに、「現状でみんな満足だからいいじゃないか」という姿勢になるのか、疑問ですね。かつてバブルに浮かれていた時代、あっという間にバブルが崩壊して一挙に景気が悪化し、庶民が経済的に困窮し出した。「貧すれば鈍す」で、困ると危険な思想に走ります。結局、経済問題ばかりにフォーカスが当たってしまって、まともな憲法論議ができない社会になってしまいかねません。コロナの成り行き次第では、今後の日本社会がそうならないとも限らない。やれるときに手を打っておかないと、と思うのですが。

篠田　長期政権を誇った安倍首相が最後の頃、元気がないように見えたのは、長期的な課題を解決しきれなかったこともあるように思います。もし安倍首相が、自分が持つ長期的な課題と、今回の新型コロナへの対応を結びつけて発想したり、あるいは危機対応に明確な姿勢を見せていたら、〝やっている感〟が醸し出せたと思います。「自分のスタイルで課題に邁進している」という雰囲気が溢れ、信頼感が増していったと思うのですが、残念ながら中途半端な感じが強かったですね。

今回の危機対応でいろいろ措置を講じるだけでなく、これを機に長期的な課題を解決するために、憲法を改正して「緊急事態条項」を設ければよかったのだと思います。特別措置法の根拠となる規定を、憲法にはっきりと組み込むのです。

今回のコロナ騒動で「危機」を煽っているのは、むしろ左翼系の人たちであるわけですから、「危機に対する備えを十分にする」というコンセンサスを得るには、願ってもない機会です。これを機会に憲法改正にまで踏み込んで、「備えあれば憂いなし」と、憲法を変えて十分な危機対応できる体制を築く。その上で、現状を冷静に見ていきましょうというようなスタイルを見せるべきだったと思います。そうすれば、もっと活気溢れる政策論が生まれ、安倍首相の存在感が増していったと思うのですが、それも成し遂げられずに退任されたのは、惜しい気がしますね。

「九条ロマン主義」が国を滅ぼす

篠田　私は永田町ウォッチャーではないので邪推の域を出ませんが、例えば憲法などでも、少し妥協した文言を考えてコンセンサスをとりながら、野党にも気を遣って、緩やかに憲法改正の機運を盛り上げていこう、などとすると、時間がかかってしまうだけでなく、相手はサボタージュすることしか考えていませんから、絶対にまとまりません。基本的に野党はクレーマーとして行動しているだけですから。

先ほど述べたように、「緊急事態」のことをみんなが気にしているのですから、それを憲法条項に加えるにはいい機会です。特措法も、憲法に裏付けられた形で整備して、体系的に考えていくべきです。今回の感染症が収束しても、新たな感染症が襲ってくるかもしれない。危機が訪れない保証はどこにもないのですから、常に備えを万全にしておくことが不可欠です。

まず、特措法に関して憲法改正をする。九条についても、改正をするなら堂々とする。やらないのでしたら、篠田説が正しい解釈だと宣言をしてください（笑）。

上念 そうですよ、そうしたら改正は不要になる。

篠田 そう、これから「内閣法制局にプレッシャーをかけて、「いままでと何も変わらないから、この篠田説も一理あると答弁してくれ」と伝えてほしいですねえ。最近、議論になった「敵地攻撃能力」の概念も、わけがわかりません。

上念 「敵基地を攻撃するなんて憲法違反じゃないか」なんて、本当にくだらない話ですよね。

篠田 概念構成が混乱しているのです。国際法上の自衛権に照らして、何が違法なのか、何だったら合法なのか、基本に戻って整理しなければ、永久に混乱が続いていくだけ。クレーマーたちは、「わかった、わかった、面倒だから、もうそれでいいよ」と相手に言わせることが、最初から目標なのですから。

上念　篠田先生の『ほんとうの憲法』や『憲法学の病』を、きちんと読んでいただきたいですね。

篠田　実はこの本、自民党の憲法改正推進本部などで、かなり買ってもらったんですけれどね（笑）。

上念　憲法問題も、「緊急事態条項だけは入れる」というところで整理をすればいい。それなら野党も反対はできないでしょう。今回のコロナを鑑《かんが》みても「緊急事態が起きないとでも思っているのか」と言えばいい。そして、その考え方で九条を眺めると、危機対応が必要な自衛隊というのは、もちろん合憲に決まっている……。

篠田　国際法上も何も問題がありません。歴代内閣ではときどき微妙な答弁がありましたが、基本線は変わっていない。

重要なのは、「自衛隊というのは、国際法上の軍隊で、憲法上の戦力ではない」（内閣衆質一八九第一六八号　平成二十七年四月三日）という点を忘れず、間違えずにしっかり認識していく、ということです。

上念　今回、新型コロナ対策で、インフルエンザの特措法だけですましてしまうのでなく、非常事態宣言、憲法改憲問題に踏み込めるチャンスだったんですね。

篠田　特措法を作っただけでもまだいいという意見もありますが、一感染症の問題は、十年二十年のスパンでは、何がどこまで起こるかなんて、誰にも予測がつかない問題です。最低限、緊急事態法で対応できるだけの準備はしておく必要がありますね。

国家戦略を正しく導く憲法解釈とは

上念　これに関連して、外交的な役割を日本が果たす、安全保障のアーキテクチャ、篠田先生いうところの国際秩序というものになると思いますが、憲法の前文にあるような名誉ある地位、つまり国際秩序を維持発展させていくような活動ができるかどうかという、そのためには、それが日本国憲法の解釈上可能なのかどうかにもかかってきますね。

私は、篠田先生の本を読破していますから、当然、これは可能だという認識です。日本国憲法は、成立過程からしてそれを前提にして作られていて、それと調和するように書かれた憲法。いまの「東大憲法学」の方々がやっているような「自衛隊違憲説」とか「集団的自衛権・集団安全保障違憲論」は非常に筋の悪い無理な解釈だと思います。

彼らの意見はまったくとんちんかんで、どこをどう読んだらそんな結論になるのか、首を傾げざるを得ない。ところが、いまだに日本のメディアは、眉間に皺寄せて、偉そうに意味不明な神学論争をやっているという現状です。でも、正しい憲法解釈からいけば、国際秩序を破るものに対しては全員で制裁するという非常に単純な仕組みですから、これを支えるためのもので何の問題もないということですね。

海上自衛隊の元呉方面総監の伊藤俊幸さんに聞いたところによると、「もし国際秩序を乱したらひどい目に遭うぞ」という力を、常に見せつけていくことが大切だそうです。それを誇示するのがいわゆる「プレゼンス」です。それは、共同訓練だったり、アメリカ軍によるパトロールだったり、軍人同士のアカデミックなシンポジウムなどです。

しかし、いわゆる東大憲法学の人々は、自衛隊のそういう実務に対して、いちいち「これは侵略戦争だ」と「これは徴兵制だ」とレッテル貼りをして、世間を誤誘導している。今後は、いかに日本国民が、東大憲法学の議論が極めて間違ったものだということに早く気づくかどうかですね。

いま自衛隊が展開している南シナ海、東シナ海全体のパトロールや、場合によっては中東のジブチまで行って海上安全を守る行動など、安全保障アーキテクチャに完全に組み込まれた行動であり、「国権の発動たる戦争」ではありません。

これらを徹底することで、初めて中国封じ込めへの布石が打てると思うのです。おかしな憲法解釈を主張していると、国家戦略を誤ります。

東大憲法学が性懲《しょうこ》りもなく集団的自衛権・集団安全保障違憲論を唱えるなら、やはり解釈上の曖昧な点を回避するために、篠田先生がおっしゃる通り「九条第三項に日本政府が軍隊を持つという一文を加憲する」ことも検討せざるを得ない。この点に関して篠田説は残念ながら、まだ日本の主流になってない。このあたりをどうしていくか、安倍内閣がやり残した最大の宿題である憲法改正に、菅政権が本気で取り組むのか、もしくは「解釈」をベースに運用していくのか、腹をくくるかどうかが、僕の気になるところなのですが、いかがですか。

篠田　放棄はしていないまでも、いまは仕切り直し段階ですね。もちろん私は「ぜひ篠田説の路線で進めていただきたい」と願っています。

憲法改正と同時に選挙制度改革を

篠田　実はいままで憲法改正問題が進捗《しんちょく》しなかったのには、現状の選挙制度が大きく関係していいます。日本では小選挙区制が導入されたものの、まだ中途半端なんです。

上念　なぜですか？

篠田　完全小選挙区制ではないからです。これは衆議院の第一党に多くの議席を配分する仕組みですね。選挙によって国民の負託を受けた政党に、実施したい政策を実施する権利を与えるのが、その趣旨です。

しかし、比例代表制と並立したために、いまだに社民党といった時代遅れの勢力が残っています。彼らは自分たちが政権を取ろうと考えていないので、自分たちの固定ファンに訴えることに終始する。現実に即した政策を提言せず、いつも固定ファンに向けたことだけを言って、「政権アンチ」の票を集める。それが彼らの唯一の生き残り策ですから。

上念　すると、永遠にクレーマーのような存在になりますね。

篠田　ええ。でも、それだけが現有議席を守る手段なのですから。そういう細分化した構造では、極小野党も存在可能。憲法九条問題は、その最大の温床になります。現実的にとり得る政策の範囲内で、どうしても二大政党制への流れができないのは、選挙区制度が中途半端だからなんですね。

上念　「九条ロマン主義」の怨霊《おんりょう》が残っちゃったというわけですね。

篠田　私は、小選挙区制が導入されてから、日本の政権構造が様変わりしたと思っています。官邸の権限を強化することができました。小選挙区制を導入したのも、もう仕組みを変えないとやっていけないんだ、という認識があったからです。ただ、中途半端でした。

上念　小選挙区制では、支持率を四割獲得すれば、政権を奪取できます。

篠田　政策基盤が形成できる。いたずらに権力を細分化するよりも、そのやり方をとって失敗したら、四年後の選挙で次の人に取り換える。小選挙区とは、政権交代を起こりやすくして、時間軸で権限配分をする仕組みでもあります。

私のゼミの学生に、「完全小選挙区制にすると、自民党がすべての議席を独占しませんか？」と聞かれたのですが、「そう、でもそれで初めて自民党の中の対抗勢力が生まれて、二大政党化の勢いになる」と答えました。制度的には小選挙区制が中途半端なので、改正に踏み込もうと思っても踏み切れない。連立与党の公明党の力が強すぎるという問題もあります。

上念　公明党の力が強すぎるというのは、憲法問題にも、外交や安全保障問題にも、悪影響を与えていますね。

篠田　菅政権が、結局は派閥力学の結果、誕生したというのは、「自民党が割れない限り勝てる」という雰囲気が蔓延しているからです。
一方では完全小選挙区制に移行して、権限の集中をはかり、日本の顔としての首相を押し立てるようにすれば、外交・安全保障分野における日本の立ち位置をわかりやすく外国にストレートに伝えていくこともできるようになります。それが国益に合致します。
上念　その意味でも、憲法改正問題と同時に、「選挙制度見直し」も訴えかけるべきかもしれませんね。

「五五年体制」を補完するための憲法学

篠田　翻って考えると、冷戦時代の日本は「一と二分の一体制」でしたね。「五五年体制」とも言われましたが、社会党が国会の議席の三分の一以上を保有していた。一が自民党で二分の一が社会党です。憲法改正には三分の二以上の賛成が必要ですから、社会党の勢力がいることで、憲法改正だけは止めることができる。それによって固定ファンの票を獲得することができるのですが、それはいわゆる、改憲反対だけが至上命題になって、現実の政策に寄与するものではなくなっていた。したがって現実的な政策は保守政党におまかせです。

そんな形で、お互いの固定ファンが固まったので、社会党は途中から政権を真面目に目指さなくなり、自民党は真面目に憲法改正を目指さなくなったというのが経緯です。そこで、「明日あたり強行採決するから、怒った顔をして議長席に迫ってきてください」「了解です」というような出来レース、談合政治といった感じ、社会党にも少し花を持たせてやれと、そういう感じで政治が行われてきました。

国民世論の動向としても、社会主義的な勢力が一定程度はあったものの過半数を超えることは決してない。そういう状況で、日本の政治が国民のイデオロギー状況を反映した形で進んでいきました。その「一と二分の一体制」を維持するクレーマーのツールとなっていたのが、憲法学通説の超法規的な権威でした。

上念 ああ、なるほど。

篠田 なので「通説」とは言っても、この「二分の一」を支えるための通説だったので、国民の総合的な支持を集めているわけではなかった。そんないびつな構造が、冷戦期間には厳として存在していました。

でもこの結果、憲法が前文で規定したものと乖離《かいり》が出てしまった。冷戦期の中で日本は、共産革命が起こらないような国の運営をしながら、日米同盟の堅持を基軸にしていました。憲法学通説の役割が、冷戦下で確立された五五年体制の補完ということだったのですから、冷戦終了後、憲法学通説が衰えていくのは必然ですね。肝心の「二分の一」が崩壊してしまったのですから、それを裏付けるイデオロギーの必要性なんか、もういらないのです。ただ、人間が消滅するには相当の時間がかかり、その意識が消滅するには二世代、三世代の時間が必要です。いまですら、大きく変わったものの、憲法学通説は完全消滅していない。

その結果、二～三十年かけても完結できないという状況が、いまも続いてしまっています。戦後七十五年かけて、国際平和主義国として国際社会の中で名誉ある地位を占めたいという決意を示したのが日本国憲法です。そこでは自由主義的な価値規範を中心に置き、共通の価値を持っている諸国と仲良くし、国際社会の中で名誉ある地位を占めたいと宣言をしたものです。その路線をさらに自信を持って一層強く押し進めていくというのが基本線なのです。これは外交的には日米同盟と全然矛盾しておらず、価値観外交で憲法を語りながら日米同盟を語るというスタンスです。

日本はこれを何となくやってきたのですが、半面、社会党員の顔色をうかがわざるを得なかった。でもこの呪縛が解けた後、徐々にではありますが、日本とアメリカは軍事同盟関係を持ちながら価値観外交を進める、それは憲法の理念にも合致したことなんだ、と堂々と主張してほしいです。

上念　国際社会でのクッションの役割を果たし、有事の備えをしていくために同盟を持っているということを、自信を持って言えばいいんですよね。

篠田　基本線をはっきりさせることが大切です。冷戦時代のように自信なさげに「でも、まだそれは言えない。時期が早いですよ、言ったらクレーマーが大挙して押しかけてきて面倒なことになる」といった雰囲気の時代は、本当に早く終わりにしてほしい。そういう未来志向の論理の中で憲法問題も捉えてほしいです。

安倍前首相は、「国民が自信を持ったとはっきり言うために、改正という瞬間がほしい」という気持ちだったと思います。そこで私は「憲法改正をしたいのなら堂々とすればいい」と文章を書いたこともあります。憲法を素直に読んで、「一と二分の一体制、五五年体制を堅持するためには憲法通説が必要なんだというねじ曲がった論理ではなく、一九四六年に制定された憲法を素直に読めばいい」と。ですから、改正をしない場合でも、その憲法解釈論を採用してくれれば、もうそれで十分です。

上念 東大法学部の面々が、憲法改正阻止の論陣を張るのであれば、まず、篠田説をきちんと勉強されたほうがいいんじゃないかと、僕は思うんですよ。

自衛隊は「侵略のための戦力」ではない

篠田 中心になるポイントは、自衛隊は軍隊なのか？ ということですね。

上念 「自衛隊は軍隊だ」と、ほとんどの人は思っているはずです。

篠田 「自衛隊は軍隊ではない」と言ってしまうと、「では何なんだ、何だかよくわからないものに、ここまでやらしているのか」と、筋道が見えなくなって、答えのない堂々巡りが始まります。それなのに国会で「軍隊です」と言い切ってしまうのには度胸が必要だという雰囲気がまだ残っている。しかし、「軍隊なんだけど戦力ではない」という政府公式見解を出しているので、自信を持ってそれを主張すればいいのです。でも残念ながら、自民党の政治家層も自信がない。「戦力ではないが軍隊だと言ってしまうとクレーマーが大挙して押しかけてきて面倒なことになるんじゃないか」と悩み始める向きが、自民党議員の中にもごまんといます。腹をくくってほしいですね。

「戦力」とは、「読売巨人軍の戦力」といったふうに、野球選手の実力を参照するときにすら用いる用語です。GHQが憲法起草したのも忙しかったのですが、それを訳した日本政府側はもっと忙しかった。そこで慌てて「war potential」に「戦力」という一般性が高すぎる語をあててしまった。これは、もともと法律で使うような用語ではなかったのです。「戦力」とは何か？　哲学的に深く考えよう、なんて言ったって、絶対堂々巡りになるだけです。「前文」からの憲法の基本的な趣旨に立ち返って理解するのが最も正しいことはわかっているはずなのに、言葉遊びをやめようとしない。

繰り返しますけど、「憲法上の戦力は、国際法上の軍隊と同じではない」というところまで、日本政府は公式見解を出しています。あとは自信を持ってそれを繰り返しはっきり宣言することですね。

日本国憲法が禁じている戦力とは、「侵略をするためのウォーポテンシャル」なのです。国際法も当然、侵略を禁じています。でも国際法は軍隊を認めています。なぜかというと、軍隊というのは、侵略行為をする組織のことではなく、「国際法の支配を受け入れて、必要に応じて国際法を守るための行動をとるために、諸国が維持しているもの」だからです。自衛隊も軍隊として、そこに位置します。侵略や戦争を意図していないのですから「侵略するための戦力」ではありません。「国際法の規制に則って、戦争を目的とせず、平和のために自衛隊という名の軍隊を使う」と、自信を持って言えばいいのです。

この前、防衛省から私のところに、自衛隊の「国外犯」に関する意見聴取というのが来ました。新型コロナが再燃しなければ、会議を開いてもらって大臣に直接、具申する機会があったかもしれませんが、総裁選が始まってしまい、会う機会がないまま、意見を文章で提出しました。

国外犯規定というのは、自衛隊員が海外で犯す罪のことですが、自衛隊員の法的地位にクレーマー対応で曖昧にしてあるところがあるので、国際人権法・国際人道法と整合性が取れる形にすっきり整理できない。わかりやすい例で言うと、自衛隊法は、上官命令責任の規定が曖昧です。由々しき事態ですね。

「日本は戦争しない国だし、そもそも自衛隊は軍隊ではないから、ジュネーブ条約で認められた捕虜にはならない」といった内容の政府答弁が出たこともあります。でも現実には、誰に聞いても自衛隊はれっきとした軍隊です。こんなことでは国際法を正しく適用することができない。結果論として、日本は国際法秩序を不安定にしてしまうのです。

上念　自衛隊は、国際的にも、軍隊として認知されていますよね。

篠田　はい。みんなが軍隊だと思っているものを、軍隊だと言ってはいけないとなったら、結論が永遠に出るはずがない。ただ、自衛隊は国際法で言うところの軍隊だということを、はっきりさせればいいのです。他に何も変えなくてもいい。要は国会で、「自衛隊は軍隊だ」と明言すること、それだけです。

上念　私は、篠田説を虎ノ門ニュースなどの一般視聴者に説明する際に、いつも言っている話があります。それはこうです。

「先の大戦が終わった後、あまりにも悲惨な戦争だったので、みんなで約束をしました。戦争が終わって確定した国境線は、みんなで尊重して守りましょう。この現状を変更することは禁止です。とすると、この時点で世界全体が憲法九条の理念を共有していることになります。戦争してもいいという国はなくなりました。だから憲法九条は日本だけが持ってると思ったら大間違いで、全世界で適用されています」

「つまり、世界のどこの国も戦争はできないのです。戦争といっても、国権の発動たる戦争のことで、それをするための戦力、これがいわゆるウォーポテンシャルですね、これをもう持っちゃいけないということです。いま、世界各国に存在してる軍隊は、ウォーポテンシャルであってはいけないもので、軍隊だけどウォーポテンシャルではないのです」
「しかし、その約束をしても、それを破るやつが登場したときに、国際秩序を回復するために制裁を加えなければいけない。その制裁を加えるために軍隊は必要ですよね」
「でも、その制裁を加えるにしても、たとえば日本が攻められた場合、一回領土を取られちゃったら、取り返すのは大変です。ロシアが強引に併合したクリミア半島のような状態になるので、国際秩序が全員で制裁する前に、まずは自分で取られないように守らなきゃいけない。そのために軍隊を持たなきゃいけない。それが自衛隊なんです」と。

憲法の目的に合致した軍隊の保持は禁じていない

篠田　ここまで言ってきたことを、あらためて別の言い方でまとめましょう。国際法と憲法を正しく守ろう、少数のクレーマーの支配を「面倒だ」という理由で容認するのを「大人の知恵」だか何だかと超法規的な話で正当化するのはやめよう、ということです。

上念　果たして菅さんにそれできるか、ということですね。

篠田　覚悟と矜持を持つだけで、別に、そんなに複雑な話ではありません。

上念　やはり憲法九条に三項を追加する過程で、いまの戦争と制裁の違いを国民に周知していく方法がいちばんいいと思いますね。憲法の成立過程に関しても、とても誤った教育がされているので、これももう一度、歴史修正主義からほんとうの歴史を取り戻し、「なぜこういうことになったか？」を国民全体に知ってほしいですね。そのためには、私がこのあいだ出した『経済で読み解く日本史』第五巻（飛鳥新社）をお読みいただくと一番いいんじゃないかなと（笑）。

篠田　ああ、それも重要な点ですね（笑）。

私は次のように言っています。九条に第3項を創設して自衛隊の合憲性を明確にする。例えば、次のような条項です。

「前2項の規定は、本来の目的に沿った軍隊を含む組織の活動を禁止しない」

つまり、「九条ないしは日本国憲法全体の目的に合致した軍隊の保持を禁ずるものではない」という主旨を追加するということです。いまでも禁じていないのですから、あえて言わなくていいのですが、念には念を入れておく。

上念　よりポジティブに「保持する」という書き方でもいいと思いますが。

篠田　そうかもしれません。ただ、まず国民にわかってもらうために「禁じていない」

ということをはっきり書いておいてもいいですね。そして、それをわかってもらう目的で国民投票を実施してもいいのではと思っています。本来、禁じていないことを「禁じていない」とあえて明記するのは無駄だから、「禁じていない」というコンセンサスがとれればそれでいいです。

迷走している憲法学者

篠田　ところで、「ウォーポテンシャル」については、東京大学名誉教授である長谷部恭《やす》男《お》さんという方の話をせざるを得ません。

上念　二〇一五年に憲法審査会で、「安保法制は違憲だ」と発言した人ですね。

篠田　そうです、「集団的自衛権は違憲だ」と発言して有名になった憲法学者です。現在の日本の憲法学界の最高権威といえる存在。東京大学法学部教授で憲法学の講座を持っていました。芦部信喜東大名誉教授の弟子に当たる方ですが、冷戦終焉後の時代に、芦部の弟子として東大憲法学講座担当教授の重責を担っていた方です。彼は二〇〇四年の『憲法と平和を問いなおす』（ちくま新書）という本の中で、「リベラルデモクラシー」を強調しつつ、「自衛隊が違憲だ」というのはさすがに言い過ぎだと主張したんですね。それを「良識」を理由にして正当化した。

上念　「良識だ」と言ったんですね？

篠田　日本では「禁止している」という人もいるけど、良識的に考えると禁止しているはずはないのだから、そう解釈すればいいと。これは憲法学者の中には不評で、「長谷部先生、何を言い出すんだ」と批判を浴びました。でも長谷部先生の気持ちとしては、「やっぱり誰かが言い出さないと。そうだとしたら、東大憲法学で責任を持つ自分が言い出してもいい、それぐらいの責任感は持っているさ」という気持ちだったと思います。「自衛隊違憲論」一辺倒では、冷戦終焉後の世界でやっていけない、という気持ちも持っていたはずです。

上念　どちらかというと東大憲法学は良識というより、感情論や感覚論に支配されているような気がします。なぜでしょうかね？

篠田　憲法学というのは「多数説」などが通説とされていく学問です。その多数説が通説のときには、みんなが東大の先生の言説に注目し、顔色を窺う。そんな中で長谷部先生は意を決して、「冷戦が終わって十年以上経っているのだから、それぐらいの言い方をしてもいいぞ」という、覚悟を決めたわけです。

長谷部先生は、安倍首相が自衛隊を明記する旨の合憲論を打ち出したときに、「憲法学者の中にも自衛隊合憲者はいる」と声を上げました。「それ見たことか、俺は正しかった」ということでしょう。憲法学者の中にも自衛隊違憲論だけじゃない人もいる、その模範は俺だ、こんな良識のある憲法学者もいるんだ、だから安倍首相はおかしいんだ、そういう話をしていました。かなり錯綜していますけどね。

上念 もう理解不能ですね、一般人には。

篠田 はい。ただ、憲法学界の事情を考えれば、それもわからないではない。「自分が十五年前に布石を打っておいたからこそ、違憲論だけではない憲法学者もいるぞ、と安倍首相に言い張れる」という気持ち。何があっても、東大法学部から日本の憲法学を支えた俺が、あの安倍首相に負けることだけは絶対に嫌だ、という気持ちですね。

さて、私が『集団的自衛権の思想史』（風行社）という本を出したのは二〇一六年。これは読売・吉野作造賞をいただき、そして翌年『ほんとうの憲法』（ちくま新書）を出し、二〇一九年に『憲法学の病』（新潮新書）と『はじめての憲法』（ちくまプリマー新書）を出しました。

上念　はい、読みました。

篠田　これらの一連の著作の中で、私は、憲法九条2項の「戦力」は、「ウォーポテンシャル（war potential）」である、と指摘し、それにもとづいた論理構成を提示しました。先ほど説明したとおりの内容です。憲法学者で、こうしたことを言っていた人は、今までいません。そのため英語メディアで紹介されたりもしました。ただし、日本の憲法学者からの反応はありませんでした。

ところが、長谷部先生が今年出した『憲法講話─24の入門講義』（有斐閣）では、「九条2項の『戦力』はwar potential（ウォーポテンシャル）だから、自衛隊は合憲だ」、と説明されています。彼独特の言い方ですが「ウォーポテンシャルじゃないということは、一九世紀ヨーロッパ国際法の決闘としての戦争ではないということだ」と説明しています。「決闘」という言葉を、彼は好んで使いますが、国家主権の一方的な発動としての戦争のことを「決闘」と呼んでいます。現代国際法で違法化されている「戦争」のことですね。

上念　篠田さんの意見に近くなってきましたね。

篠田　はい。長谷部先生は、ウォーポテンシャル（war potential）という言葉をわざとアルファベットで使って、私とほとんど同じようなことを、去年あたりから言い出していて、今年になって出版された本にもそれが収録されているということなんです。

上念 長谷部先生も、篠田さんの本、しっかり読んでいますね。読んで、自分が論破されていることにたぶん気づいていると思いますね。

篠田 論理が一緒なんですよ。武力行使のすべてが違法ではないとか、自衛隊は違法ではないと言うところまでは同じ。ただ一点、そこから先、集団的自衛権についてだけ、違います。長谷部先生は、違憲だと言い張る。

上念 それはおかしい、矛盾しているんじゃないですか。

篠田 その根拠は、長い間、内閣法制局が違憲と判断してきたからだ、と言っています。それしか説明されていません。でもそれならなぜ、二〇一五年以降の内閣法制局の合憲判断は間違いなんですか？　とにかく説明がありません。

上念 えー！　何を言うかと、お前学者だろう？　みたいな感じですよね。

篠田 私も学者の端くれなので、看過するわけにはいきません。そもそも内閣法制局がおかしなこと言っていたら、それを是正するのが憲法学者の役割であるのに、「長い間、内閣法制局が言ってきたから」と、それだけの理由で認めていいのか？

上念 それは、きちんと論じなければいけない。

篠田　「昔はよかったなあ」と年配の憲法学者がつぶやくと、日本の憲法学者は一斉に「そうです、昔はよかったです」と右にならえで言い始めるんですかね。長谷部先生が「私が学生だったときそう習った、だからそれが絶対に正しい」、と言えば一同一斉に「ははー左様でございます」と叫ぶしきたりなんですかね。

私の『集団的自衛権の思想史』で細かく書いておきましたが、一九七二年になって内閣法制局が集団的自衛権は違憲だという見解を固めますが、一九六〇年代末までは、そういう言説はありません。あれは連日ベトナムに向けて爆撃機が離陸していた米軍基地がある沖縄をまさに一九七二年に返還してもらったときに、国際法学者の見解では返還とともに日本が集団的自衛権を行使している状態に入るので、その面倒を避けるために「日本は集団的自衛権は保持しているが行使できないため、行使しているように見えても行使していません」と言うための操作術だったのです。論的構成が脆弱な詭弁です。

内閣法制局が佐藤栄作・田中角栄政権を助けただけなのです。

上念　意味がわからないですね。素直に国際秩序という集団的自衛権の一員であると認めればいいのに。

篠田　そういえば、少し話は変わるようですが、いま起こっている日本学術会議の会員候補任命拒絶事件ですが、この問題に関連して注目されたのは、一九八三年頃に中曽根康弘首相の下で内閣法制局が、学術会議から推薦されてきた候補について首相は全員任命する、という見解にお墨付きを与えていたことでしたね。それまで日本学術会議の会員は研究者による選挙で選出されていました。ところが選挙ではかえって組織運動をしてくる共産党系の会員ばかりになってしまう。そこで中曽根内閣が、全員を任命するという譲歩と引きかけに、選挙を廃止して推薦方式に移行させたのです。

上念　その点については、科学哲学の泰斗《たいと》である村上陽一郎氏も指摘されていました。

篠田　今回の事件で、当時を知る人たちの証言がたくさん出てきて、裏づけられました。既法解釈論からすれば、中曽根時代の日本学術会議法の理解のほうが破綻しています。既得権益として推薦者の全員任命を要求する学術協会側の人たちの主張に、法的根拠はない。ところが、菅首相に抗議していた人は、「法律なんて関係ない、四十年前の談合結果を未来永劫にわたって守れ」といったことを堂々と主張しました。しかし内閣法制局は、いまは菅首相の任命拒否が適法であることにお墨つきを与えています。内閣法制局なんて、そんなものです、学会の大御所が「俺が習った頃の内閣法制局の見解が正しいと信じたい」と主張してみたところで、そんなものは学術的議論にはなりません。

上念　無茶苦茶ですよね。法律上の根拠がないのに。

篠田　内閣法制局自体が立場を変えた以上、「どっちが妥当なんだ？」と学者が言ってあげなければかわいそうじゃないかと思うのですが、それを言わない。どうなっているのか、さっぱりわからない。本を読んでもフラストレーションがたまって仕方がありません。長谷部先生自体がいま、迷走していると思うんですよ。

「長谷部ダッチロール」から日本を守れ

上念　長谷部さんが安保法制のときに、いろいろ物議を醸しましたが、菅総理が政治的なポーズとして、長谷部さんの話を聞くのはいいと思います。でも長谷部さんの話は、言うことがコロコロ変わるし、矛盾しているので、まともに聞いてはいけません。温度感を探るぐらいがちょうどいい。そしてできれば篠田説を採用して、正面突破で行ってもらいたい。一番簡単なのは、内閣法制局見解で「自衛隊は軍隊だ」「戦力ではない、（ウォーポテンシャルではない、ウォーポテンシャルとは国際法においてはこういう意味だ）」と明言して、憲法改正をせずに、そのままいってもらいたいと思うんですけれど。

篠田　私はもちろん、自説を参照してほしいですよ。面倒くさがってクレーマー集団と取り引きしたりしないで。ただ、そこを離れた第三者としても、いまの長谷部先生に気を遣って、「偉い憲法学者だからご説ごもっとも」なんてことになると、また一挙に迷走が始まります。長谷部先生自身がいま、迷走しているんですから。

上念　ああ、長谷部ダッチロールに巻き込まれるぞということで。

篠田　他の憲法学者は、迷走する長谷部先生を見て目が点になりながら、修正する方法がないので、みんな沈黙してる状態。

上念　なるほど。でも長谷部先生のダッチロールを生んだのは、篠田先生の乱気流ですよ（笑）。

篠田　私は簡単ですよ。昔から篠田説でやっているから簡単なんですよ。長谷部先生が、昔の立場をどんどん変えながら、いまは途中まで私の説とあまり変わらないことを言っているのに結論は違う。その錯綜した論理構成をどうやって維持していくのか。私は、できないんじゃないかと疑ってますね。

上念　あれだけ迷走しているんですからね。私も中央大学法学部出身で、一応、憲法の勉強もしたし、司法試験の勉強もしたのですが、正直に言って憲法には何が書いてあるのか、さっぱりわからなかった。大学を卒業して約三十年近く経って、安保法制で憲法論議が盛んになり、何だかおかしなことになっているなと思い、「憲法って何なんだろうな」と考え出したんです。でも先生の本を読んだらすぐに理解できた。「いままでこねくり回したあの不毛な議論は何だったのか」と、目からウロコが落ちる思いがしました。篠田先生の本を読んでソーカル事件並みの衝撃を受けたんですよ。

一九九七年、アラン・ソーカルの『知の欺瞞』（岩波現代文庫）という著書が世に出て、現代思想界に衝撃が走りました。オシャレ哲学として大流行りしていたポストモダン思想家が頻繁に引用していた数学や物理のメタファー（隠喩、暗喩）が、実は全部デタラメで何の意味もないことが暴露されたからです。物理学者のソーカルからすれば、科学を中身のない説の虚飾に使うことに我慢ならなかった。ソーカルの著作の原題は『ファッショナブル・ナンセンス』です。これに便乗していた日本のポストモダン系の学者連中も結局「ナンセンス」な奴らでした。

篠田説に触れて私が東大憲法学に対して下した判断はこれと同じです。まさに「ファッショナブル・ナンセンス」。もうこの説をいくら深堀りしたところで何も出てきません。元から意味なかったんです。

憲法問題について、これまで日本人は誤った洗脳を受けてきたのです。だから、もう一度、「戦力とは何か」「制裁とは何か」それから「戦争とは何か」を理解していただくためには、憲法改正の議論を仕掛けるのもありかなと思います。改正という手続きを経ることは、国民全体が学習してコンセンサスをつくるという作業でもありますから。

結論的には、改正できてもできなくてもどっちでもいいと思います。守るべきはただ一点、「国の進むべき方向として、国際秩序というものに貢献していく日本」ということ。これは安倍政権の継承ですね。この方向で行かないと国が安定しない。そういう点で、憲法改正も一つの方便に過ぎないと思います。解釈でやるにしても改正するにしても、基本的な方向性としては、アメリカを中心とする国際秩序に、日本はどう貢献していくかということ。それがいま、相対的にはベストな道です。中国を中心とする国際秩序なんて、まだ存在していませんし、みんな、そんなものやりたくないと考えていますから。

そういう点で、この憲法問題についても、実際の政策としてだけでなく、今後、政策をしやすくするための一つの方便として検討してもらいたい。できれば篠田説を採用して、改正するにしてもしないにしても、シンプルに国民にわかりやすく説明してほしい。

篠田　両方やってもいいんです。まず国会で「自衛隊は軍隊です」と明言していただく。

私の説をとっていただく限り、これは別に違憲でも何でもない。ただ野党勢力は、「その発言は違憲だ」と言うかもしれません。憲法学者も何人かそう言うでしょう。でも、まったく違憲ではありません。

合憲を主張したうえで、そういうことを言う人に対しては、「それをはっきりさせるために憲法改正を提案します」と切り出せばいいのです。そのときこそ、「自衛隊は軍隊である」という、合憲説を確定させるというプロセスにいきましょう。いままで曖昧だった部分をはっきりさせるという改正だ、というスタンスであれば、それでOKなんです。安倍首相の改憲案の趣旨も、基本的にはそのあたりだったのだろうと思います。ただ、どうせなら、自衛隊は軍隊である、というところまではっきりさせたほうがいいですね。

はっきり「自衛隊は軍隊で合憲であること」を明確にしたうえで、「それは違憲だ」と異議を唱える人に対しては、「あなたが言っている憲法論のほうがおかしい」と断言すればよい。それでもクレームをつけるのであれば、「じゃあはっきりさせようか、改正案を提案するか」です。「日本のいかなる規定も軍隊の保持を禁止してないことをはっきりと明らかにしよう」という観点を、そこから提案する。そろそろ、憲法をツールにした不健康な少数のクレーマーによる支配を、終わりにさせる時期に来ていると思います。

5

財務省の逆をやれば日本は幸せになる

安倍政権の財政出動は評価できる

上念　菅政権の課題は経済政策ですね。コロナ発生当初の安倍政権の経済政策を私は猛烈に批判しましたが、その後はそこそこのところに落ち着いているので、一定程度の評価を与えてもいいいと思っています。事実、日銀の「九月短観」による景況感は、一時より大幅に改善しました。

ただし、自動車、鉄鋼、電気機械などの重厚長大産業と、食料品、小売、不動産などは回復基調にあるものの、宿泊・飲食・サービスは落ち込みからなかなか立ち直っていません。そこそこまで来ているが、まだ先行きは不透明というところで、特に雇用に関しては、国の助成金が縮小されれば、膨大な失業者が生まれる可能性もあります。

今後はやはり手堅く政策を積み重ねていくしかありません。立憲民主党などは「この危機を打開するには減税しかない」と声高に叫んでいます。確かに、減税はできるに越したことはないですが、そう簡単ではないかもしれない。

ただ正確なデータを見たり、実際に起こったことを勘案して評価することをせず、感情論で騒ぎ立てるのは、やめるべきですね。「景気」という字には「気」という文字が入っているように「雰囲気」や「気分」に左右されます。やはり将来への不安は払拭できていない。長期展望がしにくい時代だからこそ、菅内閣はいち早く、効果的な施策を講じなければなりません。

篠田　左翼は最初から批判ありきなので、相手にしても仕方ありませんが、保守層の乱れも、不安の裏返しですね。菅総理にはまず、経済をいかに建て直すかに邁進して欲しいですね。

上念　単純に言うと、リーマンショックのときは銀行が危機に瀕《ひん》していたので、銀行を救済した上で、お金をたくさん刷ったら危機が終息しました。でも日本はなかなかお金を刷らなかったのでもっともダメージが大きかった。バブル崩壊のときも同じ。最終的に不良債権問題が解決するのは二〇〇三年。バブルの崩壊は九一年ですから、十二年も時間がかかっています。干支《えと》が一巡するまで何の手も打たなかった。手を打たないといって批判され、やればやったで評価されず、どうしようかと逡巡して最終処理ができなかったのです。

それに比べ、今回は思い切った財政出動を行っています。この数カ月間だけで、バブルの不良債権処理時期と同じくらいの資金を投入しています。事業費で二百兆円、真水で六十兆円。かなりの額です。中国がリーマンショック時に費やした対策費とそう変わらない。あれは当時の通貨価値で五十四兆円ぐらいでしたから。

そういう意味では、そこをもっとアピールすればよかったんです。しかし、そこに至るまでの迷走が問題でした。でも、例の十万円給付の効果は小さくなかったと思います。こんなふうに、得点が稼げるところで、もうちょっとアピールしておくべきだったのではないでしょうか。

「いずれ増税」のムードは絶対禁物

上念　経済政策は実に簡単で、安倍政権がやった景気をよくする政策を、たくさんやり続ければいいんです。それをやり切れば、菅政権は長期政権になる可能性があります。

その景気をよくする政策は非常に簡単で、要は財政を拡張し、金融は緩和する。だから、増税なんて決してやってはいけない。また、財政拡張したら、その後すぐに、「いずれ増税」を匂わせてもいけない。増税発言も封印して、とりあえず景気がよくなるまではじっと待つ。

仁徳《にんとく》天皇の故事にある「民《たみ》の竈《かまど》」です。天皇は最初税の取り立てを三年待ち、民衆の竈から煙が立ち上るのを見て、さらにそこでもう三年待ちなさいと言って、六年待って、初めて税金を徴収するんです。それも、「陛下どうぞ、税金を受け取ってください」と民の方から進んで持ってきて、初めてその税金を受け取る。それに倣って、景気が完全に回復して、民の竈から煙が勢いよく立ち上るまで緊縮路線を封印できるかどうか、それにかかっています。アベノミクスで言うと、一本目と二本目の矢を、しっかりアクセル踏んでやれるかどうか、これが一番大きい点です。

篠田　前にも話しましたが、一年、場合によっては半年の時限付きの消費税減税も……。

上念　十分、検討に値しますね。

篠田　前政調会長の岸田文雄さんは、これについて意固地な対応の発言をしていて「あれだけ苦労して一〇%にしたものは元に戻せないんだ」といった発言をしていました。でもそこにはいろんなニュアンスがあって、半年、一年の時限付きの減税は、すべてを八%に戻すとか、五%に戻すということと、また少し違う経済政策になっていくはず。そこは岸田さんももっと柔軟に経済政策を考える余地を持つべきでしたね。せめて一年は長いから、当面、三カ月か半年で、といった具合に対応すればよかったものを……。

上念　ヨーロッパが、だいたい半年間の期限付きで実行しています。ドイツは半年間で三％減税しました。

篠田　半年間でいいのだったら、おかしくも何ともないですよね。

上念　逆に一年間、五％にすると言ったら、インパクトは大きい。駆け込み需要もあるでしょうが、需要がないよりよほどいい。だからとりあえず一年ぐらい先までのことを考えて、それで足りなかったら延ばせばいい。そういう考え方が必要です。

篠田　安倍総理は「リーマン級のショックがなければ増税する」と宣言して増税しました。ところがその直後に、リーマン級以上のショックが起こってしまったということですね。

上念　世界経済のインパクトという意味では、リーマン級以上ですね。

篠田　そうだとすれば、時限つき減税を実施するという考え方は、十分にあり得る。しっかり責任とる形でプレゼンテーションをし、憲法問題も丸ごと処理する。

上念　でもあのときに安倍総理は、消費税減税を打ち出さなかった。一〇％のまま。減税派だったはずなのに、あそこで少しブレましたね。

篠田　憲法改正のほうに悪影響が及んだら……というようなことを考え始めると、方針が乱れるんですよね。

〝存在そのものが増税〟の岸田さん

上念　岸田さんはですね、もう少し根源的な問題を抱えていたんですよね。岸田さんという人は、「存在そのものが増税」にならざるを得ない人。一族郎党、全員財務省関係者で、全員が増税派。やはり、困ったときに最後に助けてくれるのは一族郎党なわけですから、彼はそれを裏切って「減税」なんて、口が裂けても言えない。前出の嘉悦大学教授の高橋洋一先生が八重洲イブニングラボ講演会で語っていました。「もし岸田さんが私のところに相談にきて〝減税のことで意見を聞きたい〟と言ったら、〝いや、岸田さんやめときなさい。あんた親戚裏切ることになるよ〟と真面目にアドバイスしようと思う」と。ですから岸田さんには減税は、無理だったと思います。

篠田　岸田さんの派閥は宏池会で、宏池会全体が、やはりそういうイメージや伝統がありますね。やっぱり政治家ですから、親戚と喧嘩しない。

上念　党内でも、「話がつまらない」ことで超有名で、講演会などもどうしようもないと定評がある。官僚出身でもないのに、官僚がしゃべっているみたいなのです。彼は一族ほぼ全員が東大の中で唯一早稲田出身で、官僚にならずに政治家ですもんね。

篠田　でもこんなときだからこそ「新型コロナで大変だから、半年なり一年なりの減税政策に打って出る。これは事実上は財政健全化を目指す道なんだ」と宣言して、それくらいの肝の据わったところを見せると、「おお、岸田もいろいろと考えてるじゃないか」と評価が上がったかもしれません。でも、持論を曲げずに意固地になってしまうから「面白味のない人間」というレッテルを貼られてしまうんです。

上念　いみじくもそれが、岸田禅譲路線を引こうと、安倍さんがあれほど努力したにもかかわらず、岸田さんが総理大臣になれなかった理由なんですよ。

篠田　「俺は財政健全派だ、だけど半年か一年間減税させてくれ」とかね。そういって回るという手もあったのではないですかね。

上念　そういうディールができる人だったら、総理大臣になっていますよ。岸田禅譲が既定路線だったはずなのに、最後の最後で菅さんに押し出されてしまったのは、やっぱり岸田さんが煮え切らない性格だから。

最悪だったのは定額給付金騒動でしたね。三十万円給付ということで、せっかく財務省に花を持たせてもらったのに、よく見たら五世帯に一世帯しか対象にならないという。そんな子供だましは通用しないとわかっているはずなのに、財務省からいただいたものを何も文句つけずに「はいはい、わかりました」とやってしまった。首相と直談判みたいなことを演出して、官邸から出てくるところで記者が待ち構えて「いま首相に三十万円って提案してきました」みたいな茶番劇を嬉々としてやってしまう人なんですよ。これが変わらない限り、次も首相の目はないですね。

篠田　いいものを持っているんですよ。人間的な利点とか、自分のポジションをこう活用したらこう売れるといった、いくつかのアセット（長所）を持っている……。

上念　なのに、まったく活用していない。陸軍中野学校の将校が有益な情報を持ってきたのに、官僚主義の大本営作戦部が一切使わなかったみたいなね、そういう感じだと思いますよ。これが、次回のチャンスまでに覚醒するかどうか。二度あることは三度あるで、覚醒しなかったことが二度、三度となると、完全に総裁の目は消えてしまいます。「岸田には自分の言葉がない」と語る批判者が多い。財務省の色が強いがゆえに、自分が持っている〝売り〟をアピールするのが苦手。でも総裁選のときだけは、それを振り切って欲しかった。期限つきでいいから減税を言わせてくれと、財務省を説得すればよかったのに……。

篠田　外交なんていうのはみんなそうで、安倍首相みたいにタカ派のイメージがある人が日米同盟堅持をしたから、アメリカの大統領は安心して広島を訪問することができました。広島に来てほしい、来てくれたら俺が絶対アメリカの顔を潰すようなことはさせない、と確約した。安倍がそう言うのであれば、と安心して、オバマもアメリカ国内の反対派を抑えて訪問することができました。これは外交の鉄則というか、人間関係の鉄則ですよね。自分の立ち位置を固めてから、それを基盤にして、相手に歩み寄る。

上念　岸田さんは財政タカ派なんだから、保守派を抑え込んで、篠田さんがおっしゃる通り二年我慢、「豚は太らせてから食え」とね。「我慢しろ」って言えばよかった。「我々の宏池会のご先祖様である池田勇人も同じことやっただろう、だからお前たち二年我慢しろ」と言えばよかったのに、言えないんですね。それが言えない人だからこそ、二階さんが菅を選んだんですよ、自分の言うことを聞く人を、安倍さんの後継者に、とね。

IMFも認めた「日本の純債務はゼロ」

篠田　しかし、減税となると、すぐさま財務省などが過剰反応をするでしょうね。なぜ、財務省はそれほど減税に抵抗するのか、あるいは増税に固執するのでしょうか。「将来に禍根を残さないために健全財政を」というスローガンも、どう考えればいいのですか。

上念　財政危機説は、バブル崩壊以降に喧伝されたものですが、残念ながらこれには根拠がありません。というのは、そもそも政府債務は完済する必要がなく、債務総額よりも、債務を維持し続けるほうが重要だからです。政府は永遠に生きるとされる存在なので、ある条件さえ満たせば、永遠に借り換え続けることも可能なのです。

その条件とは、維持可能性を表す指標である「公債のドーマー条件」です。これは次の式で表すことができます。

・名目GDP成長率が名目公債利子率より高いこと。これによって債務は収束し、維持が可能になる。

・しかし、名目GDP成長率が名目公債利子率より低いと、債務は拡散し、維持が不可能となる。
つまり、名目公債利子率より名目GDP成長率が高ければ、借金の増えるスピードより収入が増えるスピードが速くなるので、この債務はいつか完済できます。政府は無限の寿命を持っているのですから、それが千年後か、一億年後かはともかくとして、少なくとも債務は「発散」することなく、「収束」することは確かです。これが、債務の維持可能性の証明なのです。
篠田　ということは、名目GDP成長率さえ維持していけば、日本が抱える負債総額千五百兆円も、それほど気にしなくていいということですか?
上念　おっしゃる通りです。特別会計まで含めた政府のバランスシートからも、日本の財政が危機でないことは明らかです。二〇一八年三月末時点での「国家のバランスシート」は、政府の資産総額約千兆円に対して、負債総額は千五百兆円。一見、五百兆円の債務超過のように見えますが、この「資産」にはある重要な勘定項目が含まれていません。
篠田　ははあ、国債ですね!
上念　ご明察。日銀が持つ国債です。政府が日銀に売却した国債は、誤解を恐れずに言えば「返さなくてもいい借金」。なぜなら金利は国庫納付金として政府に還流しますし、元本も、同額の国債を渡すことで、事実上、永遠に借り換えることができるからです。二〇一八年三月末時点で、日銀は四百四十八兆円の国債を保有しています。この分を国の資産に加えると、政府の債務超過は約五十二兆円に激減します。

政府はこの他にも、徴税権や通貨発行権を持っていますが、その資産価値は数千兆円に上る巨額なものです。諸々足していくと、五十二兆円の債務など吹き飛んでしまいます。つまり日本は巨額の負債を抱えていますが、それに並ぶほどの資産を抱えているので、相殺すると債務はゼロということになります。事実、二〇一八年の国際通貨基金（IMF）財政モニターにおいて、日本の純債務はゼロだと認定されています。

篠田　それなのに……。

「社会保障の財源が必要」は真っ赤な嘘

上念　このことを繰り返し指摘された財務省は、今度は論点を変えて、社会保障の充実のために財源が必要だと言い出しました。しかし、この論理にも無理があります。そもそも、社会保障目的の消費税は先進国では例がなく、社会保障は基本的に保険料で賄《まかな》うのが通例だからです。ところが、財務省は「まず増税ありき」ですから、この世界の常識を覆し、間接税である消費税を社会保障財源と結びつけてしまいました。これはあの三党合意で決まった「税と社会保障の一体改革」でした。

なぜこれがいけないのかというと、社会保障が保険で賄われるうちは、歳出に抑制が効くからです。負担する人と給付を受ける人は同じ人なので、デタラメな給付を受けると、自分で自分の首を締めるからです。ところが消費税を財源にしてしまうと、負担する人が将来、必ずしも恩恵を受けるわけでもなく、給付を受ける側も、誰が負担しているかわからないという現象が起こります。すると歳出に抑制が効かなくなり、給付が無限に膨れ上がる可能性があるのです。つまり消費税を社会保障財源とすることで負担と給付のバランスが崩れ、日本の社会保障システムは崩壊してしまうかもしれません。

「過度に税金が投入されると、給付と負担のバランスが不明確になって、社会保障費はどんどん膨らみ、その一部は業界の利益になって、社会保障の効果が出にくくなる」と、あの高橋洋一氏は指摘しています。一例を挙げれば、特別養護老人ホームの内部留保が一施設当たり三億円（収入の一年分）にまで膨らみ、業界全体で二兆円にもなっています。投入した税が末端に行き届かず、中間業者の懐を潤し、結果として社会保障費の増大につながっていると言えます。

篠田　でしたら、消費税増税を主張する正当な根拠は失われているではありませんか。

上念　財政危機も嘘、社会保障財源の話もデタラメ。それなのになぜ、消費税を増税したいのか？　それは、財務省の権限を大きくしたいから。増税に際し、軽減税率を適用してもらいたい業界は財務省にすり寄り、天下りを受け入れてくれるのです。新聞業界はこの罠にまんまとはまり、すっかり牙を抜かれてしまった。

財務省は、税金をたくさん集め、それを配ることで権力を肥大化させることができます。いろんな理屈をつけて増税し、様々な国民の要望を受けて配る。すると、配る権限を持つ人が偉くなるのは自明の理です。これが財務省にとって居心地のよい世界。国民はそれを知らず、まんまと乗せられてしまっているのです。

篠田　やはり、「財政健全化」についても、本質をきちんと見極めていくことが大事ですね。経済問題も外交・安全保障も、そして憲法問題でも。

上念　新型コロナへの対応策もそうですね。さもなくば「不安を煽る人々」に踊らされるだけです。最後に〝泣き〟を見るのは国民、自分自身です。

おわりに

世の中にはものすごい天才がいて、人類のあらゆる問題は最終的に解決される。そんな夢みたいなことを信じていたアホな左翼少年がいます。私です。

ソクラテスやプラトンなどの天才たちがいたのに、彼らの教えに背いた愚かな人間が戦争、政治腐敗、虐待などの誤りを犯した。だから、私がその天才から教えを受け継いで、政治家になり、それを実現する。理想郷を作る。私は本気でそう考えていました。ちょっと頭のオカシイ子だったわけです。

だから、天才の教えを受け継ごうと、高校のときに「倫理」の科目を選択しました。天才哲学者から人類救済の秘策を学べると思ったからです。ところが、いくら授業を受けてもその秘策は伝授されることはありませんでした。教科書や資料集に書いてあることは、古い哲学や思想の通り一遍の解説だけです。これが人類の恒久平和にどう役立つのか、さっぱりわかりません。

その後、大学に入った私は弁論部に所属しました。そこで世の中には左翼思想以外にも多様な考え方があることを学びます。そんな文化相対主義的な部活動をしている真っ最中に、今度は現代思想ブーム、いわゆる「ポストモダン」的なものの洗礼を受けます。今度こそ、人類に恒久平和をもたらす秘策が書かれているかもしれない！　そう思って、当時ポストモダニズムの気鋭の学者の本を何冊か読みました。ところが、いくら読んでも思わせぶりなことが書いてあるだけで、ちっとも本質がわかりません。

自分に読み取る力が足らないに違いないと思った私は、その後もしつこくこの手の本を読み続けました。そのまま、十年悩み続けた私でしたが、思わぬ形でこの葛藤に終止符が打たれます。

一九九九年、普及し始めたインターネットによって私は「ソーカル事件」を知りました。ソーカル事件とは、いわゆるポストモダン系の人気雑誌『ソーシャル・テキスト』に、ニューヨーク大学の若き物理学教授アラン・ソーカルがデタラメな論文を投稿した事件です。ソーカルは一九九六年春・夏号に、「境界線を侵犯すること――量子引力の変形解釈学へ向けて――」という長大かつ難解な論文を投稿しました。

どんな内容だったかというと……それは、世間で大雑把にポスト・モダン思想と見做されている哲学者や精神分析家の文献、とりわけカルチュラル・スタディーズを実践する米国知識人のあいだで絶大なプレステージを有するフランス人現代思想家ラカン、ジル・ドゥルーズ、リオタール等の文献からの引用をふんだんに散りばめつつ、自然科学の領域においてまで客観的な外界や普遍的な真実の存在を否定し、認識論上のラディカルな相対主義を標傍するものでした。

曰く、「物理学的『現実』は社会的『現実』と同様に、基本的に、言語学的・社会的構築物である」……。

https://www.gakushuin.ac.jp/~881791/fn/Hori.html

著者のアラン・ソーカルはサンディニスタ政権下のニカラグアに行ってボランティアで数学を教えるほどの左翼です。ところが、投稿から数週間後、ソーカル本人が告白します。『ソーシャル・テキスト』の査読に通って掲載されたあの論文は、それ系の学者の言説を適当にコピペしたパロディだったと。しかも、物理学を学んだ者ならすぐに間違いだと気づくレベルのデタラメと、こじつけを散りばめてあったというのです！

つまり、彼は、大胆な「悪戯」によって、『ソーシャル・テキスト』のような先端的な大学出版誌が、「断言調のかっこいいスタイルで書かれていさえすれば、そして『ウルトラ左翼』的なイデオロギーに迎合するものでありさえすれば」、無茶苦茶な「論文」を掲載することを証明してみせたのです。

https://www.gakushuin.ac.jp/~881791/fn/Hori.html

十年間、何か深淵があるのではないかと追い続けたポストモダン的なものが中身スカスカのデタラメだったのです。その衝撃は計り知れないものでした。そして、納得もしました。私がこの思想を理解できなかった理由、それは最初から中身がなかったからだと……。

前置きが長くなりました。実は、最近あのときと同じ体験をしました。ポストモダン的なものを東大憲法学、アラン・ソーカルを篠田英朗先生に置き換えてください。日本国憲法の唯一正当な解釈だと思われていた東大憲法学が実はデタラメだった‼　そのことに気づかせてくれたのが、篠田英朗先生の『ほんとうの憲法（ちくま新書）』という本です。

私は大学の法学部で憲法を学びました。しかし、憲法の授業は一番よくわかりませんでした。憲法九条の解釈も、人権と公共の福祉の関係も、そもそも成立過程の説明で出てくる「八月革命説」も、どれ一つとして納得がいきませんでした。

その三十数年越しの疑問に、篠田先生の本は完璧に答えてくれました。その詳細については、ぜひ本文をお読みください。

そんな篠田先生と新型コロナウィルスから憲法改正まで様々なことについて対談し、まさかそれが本になるとは！　篠田説の伝道師として、身に余る光栄です。篠田説が政府の公式見解になるその日まで、伝道を続けていきたいと思います。

上念　司

上念 司（じょうねん・つかさ）
1969年、東京都生まれ。中央大学法学部法律学科卒業。在学中は創立1901年の弁論部「辞達学会」に所属。日本長期信用銀行、学習塾「臨海セミナー」勤務を経て独立。2007年、経済評論家・勝間和代氏と株式会社「監査と分析」を設立。取締役・共同事業パートナーに就任（現在は代表取締役）。著書に『TOEICじゃない、必要なのは経済常識を身につけることだ！』（ワック）、『習近平が隠す本当は世界３位の中国経済』（講談社+α新書）など多数。

篠田英朗（しのだ・ひであき）
1968年生まれ。専門は国際関係論。現在、東京外国語大学大学院総合国際学研究院教授。早稲田大学政治経済学部卒業。ロンドン大学（LSE）で国際関係学Ph.D.取得。広島大学平和科学研究センター准教授などを経て、現職。『平和構築と法の支配』（創文社）大佛次郎論壇賞、『「国家主権」という思想』（勁草書房）サントリー学芸賞、『集団的自衛権の思想史』（風行社）読売・吉野作造賞ほか著書多数。

不安《ふあん》を煽《あお》りたい人たち

2020年11月28日　初版発行
2020年12月15日　第２刷

著　者　上念 司・篠田英朗

発行者　鈴木 隆一

発行所　ワック株式会社
東京都千代田区五番町 4-5　五番町コスモビル　〒 102-0076
電話　03-5226-7622
http://web-wac.co.jp/

印刷製本　大日本印刷株式会社

ISBN978-4-89831-830-0

好評既刊

新型コロナ
上久保靖彦・小川榮太郎　B-327

「科学的に見て、日本は集団免疫が成立したのでコロナはもうすぐ収束。東京五輪も問題なく開催」――免疫学の権威・上久保氏が、巷間流布する新型コロナの〝ウソ〟を翻す！　本体価格九〇〇円

安倍晋三が日本を取り戻した
阿比留瑠比　B-329

左翼ジャーナリズムによる執拗な「反安倍」の印象操作・偏向報道にもかかわらず、国民の七割以上が評価した「安倍政治」を、あらゆる角度から徹底解剖し、総括する！　本体価格九〇〇円

統合幕僚長
我がリーダーの心得
河野克俊

退官後、テレビ等の討論番組にひっぱりだこの著者が初めて綴った自伝的防衛論。北朝鮮ミサイル、中国艦船尖閣侵入……「日本の危機」をどう乗り越えたか。　単行本（ソフトカバー）本体価格一五〇〇円